大法学者イェーリングの学問と生活

新 装 版

大法学者
イェーリングの学問と生活

山口迪彦
編訳著

新装版

信山社

イェーリング没後百周年記念

はしがき

収録した論稿は、近代ドイツの生んだ大法学者ルドルフ・フォン・イェーリングの学問と生活に関する興味深い記述です。司法試験をはじめとする各種の国家試験のために日夜猛烈な受験勉強をしている法学部の学生諸君や、私の講義やゼミに熱心におつきあい下さっている学生諸君が、ふと本書を手にして、法研究と法理論研究のもう一つのあり方に気がついてくだされば、法学の教師としてこんなにうれしいことはありません。

それぞれの論稿には比較的短い解説をつけてありますから参照してください。簡単に説明しておきますと、第一のイェーリング「自画自賛」は、一八六七年に彼が国会議員に立候補し落選したときのユーモアに溢れる文章です。イェーリングは子供のころのちにドイツの大劇作家となったヘッベルと文学仲間として親しく交際していて、高校生時代にイェーリングは将来ユーモア作家になる希望をもっていたそうですから、清き一票をお願いするこの文章がユーモアたっぷりなのも、むべなるかなと思われます。

第二に所収のイェーリング「法学者としてのわが生涯」は、友人ネッターにあてたイェーリングの書簡にもとづくもので、短文ではありますが、この大法学者自身の人生の回想録として興味深いものがあります。

第三に収めたイェーリング「法感情の発生について」は、第一講演にあたる「権利のための闘争」に続く第二講演に該当するもので、のちに現象学派の父といわれるフランツ・ブレンターノがイェーリング批判の講演を行なうきっかけになったものです。彼は規範発生の歴史的理解を主張していますが、この問題は法理論史のうえで自然法理論と法実証主義理論との間でながらく争われてきた問題ですから、看過しえない講演です。

第四に収録した息子ヘルマンの回想録は、イェーリングの近親者による彼の学問と家庭生活に関する詳細な記録です。ヘルマンは、生物学者かつ博物学者でブラジルのサン・パウロ博物館の館長になった人物ですから、イェーリングとダーウィン進化論との関係に関する指摘は、とても重要だと思われます。

第五に所収の息子フリードリッヒによる回想録は、主にギーセン時代のイェーリングの裁判、音楽、社交などに関する回想の記録です。フリードリッヒは裁判官でしたから、裁判所からイェーリングのもとに送付されてきた難しい法律事件の鑑定意見書をめぐる報告は、興味深いものがあります。

第六に収めた刑法学者アドルフ・メルケルの追悼論文は、イェーリング没後の翌年にいわゆる「イェーリング年誌」に発表されたものです。イェーリングと親しかったメルケルが、イェーリングの学問を彼の人となりと関連づけている点が興味をひきます。

第七に記載のヴィクトル・エーレンベルク「イェーリング『インド・ヨーロッパ人前史』編者序言」は、同書の成立過程を興味深く証言しています。

第一と第二、第三の論稿をあわせて第一部「イェーリングは語る」とし、第四、第五、第六、第七の論述を第二部「イェーリングを語る」にまとめました。そして、イェーリングの講演「法感情の発生について」は法理論史上に占めるその重要性にもかかわらず日本においても外国においても知られることなく今日に至っていますので、第三部「イェーリングを原典で読む」〈原典資料〉としてウィーンで発行された「一般法律家新聞」(一八八四年三月十六日号など)から百年をこえる眠りを破って全文を収録しました。メルケルによるイェーリング追悼論文も、第三部のなかに収めました。今日の法学部ではドイツ文字で講読する機会も少なくなってきましたから、役に立つ機会もあろうかと思います。

第二、第三、第七論稿を除く本書所収の翻訳は、はじめ手書き原稿の影印版として小冊子にまとめたものですが、その後、第一、第四論稿は「名城大学人文紀要」第四一集(二六巻一号)、一六三―一八七頁(一九九〇年一二月)に「回想のイェーリング(一)」として発表する機会があり、第五論稿はそれに続いて「名城大学人文紀要」、第四三集(二七巻第二号)、四三―五一頁(一九九二年三月)に「回想のイェーリング(二)」として発表したものです。第三論稿は、「名古屋音楽大学研究紀要」第一〇号、二五―四六頁(一九八七年)に「イェーリング『法感情の発生について』解説・邦訳」として掲載したものの一部です。第六の「アドルフ・メルケル著『ルドルフ・フォン・イェーリング論』」は、私が編集委員長として編纂した『名古屋経済大学法学部開設記念論文集』六八五―七二二頁（一九九二年）に所収のものです。第二、第七の訳稿は、名古屋経済大学法学会「名経法学」第四号（一九九五年）、中京大学社会科学研究所「社会科学研究」（一九九五年）にそれぞれ掲載したものです。

もう二〇年ほどまえのことになるでしょうか、今は亡き刑法学者の西村克彦先生が何かの折に信山社の方に対して私の仕事についてお話くださったことから、長い準備期間を経て刊行されることになったわけです。

イェーリングは一八九二年にゲッチンゲンに没しましたが、スターリン主義体制崩壊後の統一ドイツにおいてこの数年間に私の知っているかぎりでも五冊ほどの没後百年の記念出版が行なわれました。イェーリング・シンポジウムも実施されたようです。遅ればせながら本書を刊行することによって、日本の法学者として私もまたイェーリング没後百周年記念の末席に連なりたいと思います。

最後になってしまいましたが、信山社編集部の袖山貴さんには本書の出版についていろいろとお力添えいただきました。書籍の出版は著訳者と編集者との共同作業であり、両者は車の両輪のようなものだということを今回も実感しました。

一九九七年三月

Y・M

〔追記〕訂正新装版第一刷に当たって若干の誤植を訂正しました。

目次

第三部　イェーリングを原典で読む

第一部　イェーリングは語る

1　ルドルフ・フォン・イェーリング「自画自賛」

一　訳者解説

左記に訳出したルドルフ・フォン・イェーリング「自画自賛」は、彼のひとり娘ヘレーネ・エーレンベルク女史の編集した『友人宛イェーリング書簡集』に収録されているものである。邦訳に際してのテキストには左記を使用した。

Rudolf von Jhering in Briefen an seine Freunde, (Hrsg.) Helene Ehrenberg, Neudruck der Ausgabe, Leipzig 1913 (Breitkopf & Härtel), Scientia, Aalen 1971, S. 214-217.

このユーモアに溢れた自己紹介文は、法学者イェーリングが代議士に立候補したさいの自己宣伝のために執筆されたものである。一八六七年一月、ギーセン大学ローマ法正教授の職にあったイェーリングは、北ドイツ連邦議会の第一回選挙にさいして、国民自由党から立候補した。後年BGB起草委員会議長を勤めたGottlieb Planckらの応援をえて、故郷の東フリースランドから、打って出たのである。この選挙は、プラーグの和約によってオーストリアがドイツ連邦を脱退し、プロシャによる北ドイツ連邦の組織化が承認されたことから、実施された。イェーリングの対立候補は、大商人Bronsであった。イェーリングは善戦したが、このユーモアに溢れた宣伝文書も効を奏することなく終り、結局、イェーリングは落選した。イェーリングの得票総数は七、六六七票で、Bronsの得票総数七、六七五票にわずかに及ばなかった。イェーリングはこの選挙結果を大いに残念がった。けれども彼の落選は、法律学にとっては幸運なことであった。なぜならば、もしイェーリングが学問を放棄してドイツ国家の統一に専念する政治家に転身していたならば、今日の我々は、名著『法をめぐる闘争』も『法における目的』も手にできなかったであろうと思われるからである。

イェーリングは、若き日に文学者となることを夢みていたことがある。劇作家フリードリッヒ・ヘッベルが青年期におけるイェーリングの友人で、ヘッベルらの感化を受けて、イェーリングは青年時代の一八三〇年代にみずからユーモア小説を執筆してみたりした。こうしたイェーリングの素質は、法律学上の主著にも表われているが、右の「自画自賛」や『法学戯論』などは、ユーモリストとしての素質がいかんなく発揮されていると考えられる。イェーリングが職業としての大学教授を断念しようとしたことは、彼の人生において二度あった。最初は、ここにしるした一八六七年の代議士立候補の年であり、二度目は、ゲッチンゲンにあった一八七九年、友人ネッターあて書簡の中で「もしもお金が十分にあったなら、私は大学教授をやめて、ひたすら著述に生涯を捧げたことであろう」と述べていることから分るように、『法における目的』の執筆に専念していた頃である。一度目の断念は、イェーリングの政治に対する深い関心を示しており、二度目の断念は、著述活動の重視を示している。けれども彼は大学教授としての職に終生とどまった。彼自身の言葉を借りれば、「しかし、大学教授の職に踏みとどまることは……（中略）私のとりうる唯一の方便であり、私は現状においては大学教授たらざるをえなかった」のである。今日の大学教授であれば、よほどの俗物か理想主義者でなければ国会議員などには立候補しないであろうが、イェーリングの場合は、後者のカテゴリーに属していたと思われる。

選挙に落選したイェーリングに不幸はさらに続いて起った。前年から病床にあった最愛の妻イダは、この年の九月、肺結核で天上の人となった。家計も逼迫した。ついにイェーリングは、翌年住みなれたギーセンからウィーンへ移り、二度にわたる妻との死別という悲運を強い意志と勇気とをもって、雄々しく乗り越えていったのである。

二　〔邦訳〕「自画自賛」（一八六七年）

子持ちか？　その通り！　しかも嫡出！
宗派は？　ローマ法学者！
年齢は？　四八歳——（一八一八年生）

生まれは？　アウリッヒ

三〇〇年も続いた東フリージア地方の旧家の出で、その祖先は著名な法律家。――けれども、この点から推察すれば結局財産はあまりないにちがいない！　彼はもともと官吏になるつもりであったが、それはハノーヴァー政府によって果たせなかった。エルンスト・アウグスト［プロシャ親王］は、「法律部門志望者ルドルフ・イェーリングの官吏採用試験受験はまかりならぬと決定した。*」

＊　というのは、彼の兄がすでに東フリースランドの官吏になっていたためである。［ヘレーネ・エーレンベルグ原注］

これは、ハノーバァー地方の初期国家経済を誉めたたえる麗しき措置であった！　当時官吏になることを許されたのは、貴族ならびにハノーヴァー官吏を父に持った息子たちだけであったからである。（この点で多数の東フリースランド人が当時のくやし涙を今もって忘れていないように）「イェーリングは、その故郷を見すてざるを得なかった」が、「しかし彼を国外へと追いやった国王（！）政府の失敬な行為は、結局彼に幸福をもたらし学問にとっても慶賀すべき結果となった。」

ハノーバァー政府が用いようとしなかったこの人は、お定まりの諸国遍歴をおこない（［ハイデルベルグ、ミュンヘン、ゲッチンゲンの各大学を経て］一八四〇年ベルリン大学に学びここで一八四二年法学博士の学位を取得し、一八四三年ベルリン大学私講師となり）、一八四四年処女作をあらわした。一八四四年にはすでにバーゼル大学教授に招聘された。バーゼルには短期間在職しただけで、(一八四五年の復活祭には) 新たにロストック大学教授に招かれた。一八四六年にロストックを辞して、一八四七年にはすでにキール大学教授に招聘された。同年ギーセン大学にも招聘されたがこれは固辞した。けれども、政治的な事件のためにキール大学への招聘［に応ずること］は、一八四九年まで延期した。二年後の一八五二年には、ギーセン大学教授に招かれた。［オランダの］ライデン大学教授とか［ハノーヴァーの］テレ上告裁判所判事とかの椅子も用意されたけれども、彼はこれまでずっとこの古巣ギーセンに踏みとどまっている。というのも、彼にはオランダ人になったり、ハノーヴァーの裁判所判事になったりするつもりがさらさらないからである。彼は学問上隆々たる名声を博している。彼の主著『種々の発展段階におけるローマ法の精神』は、まだ完結を見てもいないのに、すでにイタリア語の訳書*が出版されているとともに［原著の第二版が刊行されており］、中国語の翻訳と日本語の抄訳**とが準備されている。「現代ローマ・ドイツ私法解釈学年誌」を、初期にはゲルバーと共同編集し、現在では単独編集している。同誌には、彼の筆になるあまたの論文が掲載されている。

＊　この「イタリア語の訳書」とは、イェーリングの著書のドイツ語以外への翻訳としては、世界で最初の翻訳書である以下のものを指している。Lo spirito del diritto romano nei diversi gradi del suo sviluppo, Traduzione di Luigi Bellavite, Pirotta, Milano 1855. これは『ローマ法の精神』第一巻初版を底本とするイタリア語訳である［訳者注］。

＊＊　この「日本語の抄訳」とは、イェーリングの著作の翻訳としてはおそらく日本最初期の翻訳出版物である以下のものを指していると思われる。磯部四郎訳『法理原論』（東名書院、明治一九年）一八分冊。これは、『ローマ法の精神』のフランス語訳初版（L'esprit du droit romain dans les diverses phases du son développement, Traduit sur la 3ème édition avec l'autorisation de l'auteur par O. de Meulenaere, Librairie Marescq Aine, Paris, 1877—1878, 4 tomes.）を底本とし、フランス語訳書の第三巻までを抄訳したものである。ちなみにイェーリングがこのユーモアに溢れた短文を書いた一八六七年は、ちょうど明治元年、大政奉還、王政復古の年にあたる［訳者注］。

このような大人物には、当然、称賛がふりそそがざるをえない。けれども彼は、フィリップ勲章とか（フィリップ）一等騎士十字勲章といった大勲位は受けていない。というのは、彼はヘッセン州ではほとんど知られていないからである。とはいえ、彼の名声そのものは寒い国［ロシア］にまで達したのであり、その証拠に、［ロシアの］カザン大学は彼を名誉教授に任じ、次にはロシアのスタニスラウス勲章の上級帯勲騎士十字勲章が彼に授与されたことからしても、まことに彼が大人物であることがわかる（もっとも、彼が公爵と称してよいのが一年のうち誕生日の一日だけであるのは、残念しごくである）。一八六五年、ウィーン大学法学部博士教授団は、ウィーン大学記念祝典に際して彼を名誉教授に任じた。もっとも一八六六年だったら［プロシャ・オーストリア戦争のため］こういうことにならなかっただろうということは、確実であるが！

彼は、法学会の創立以来たえず、法学会の常任理事にくりかえし再任されている。彼は法学会の大御所の一人である。

実際、彼はやり手である。なるほど今までのところ国会議員を勤めたことはない。しかし、この小さいヘッセン州の首都ダルムシュタットの国会議員を勤め国会でいかなる瑣事にも耳を傾けみずから発言したりするには、役不足なほどである。しかし、その他の点でも、彼は有力者だとみなされてきた。とくにシュレスヴィッヒ・ホルシュタイン問題では、ギーセンにおける運動の主要人物として活躍し、あらゆる結社の組織化に貢献した。多くの時間と国費とが、［シュレスヴィッヒ・ホルシュタイン問題では］浪費された！　金貨にすれば――全部で一〇〇フローレンスを越す。彼は南ドイツ問題でも積極的に活躍した――「女王よ、御身はえも言われざる悲しみを繰返せと命じ給う」[*](infandum renovare jubes usw.) と古詩にも言うではないか。

＊　この言葉は、ローマ第一の詩人といわれるヴェルギリウスの畢生の大作であるローマの国民的叙事詩『アエネイス』第二巻第三節からの引用である。ヴェルギリウスの原文では、infaum, regina, jubes renovare dolorem. である［訳者注］。

ギーセンでは、彼は親プロシャの主要人物だとみなされていたのだが、この多事多難の時代に反プロシャの世論がわきあがったことほど彼の心を痛めたものはない。東フリースランドでも彼は非常に尊敬されている！　彼は、公益の存在する所では常に先頭に立っている。――いまいましくもギーセンの新聞論調が語るべくして口を閉ざしている論点について熱弁を振う者ありとすれば、それは彼である。もしそうでなかったら、彼が［北ドイツ連邦議会の］国会議員に立候補することなどは、もともと懇請されなかったであろう。

彼が高貴の生まれであり、家庭にあっては幸せな父親であり（もし近々彼が身まかりでもすれば、不肖の子ら五人が彼のために末期の水を取ることになろう）、誠実な友であり、思慮に富める大学教授である（どんな場合にも彼は無骨一点張りであり、誠に東フリースランド人らしいから！）というようなことは、立候補したからといって、そのこと自体はどうにもなるものではない。――彼はギーセンの音楽界に大きな功績を果し、ギーセン・コンサート組合の今日あるのは彼のおかげである。彼自身も熱心な音楽愛好家である。彼のすぐれた特徴は、確固たる愛国心を持っているという点にある。訛りは国の手形というが、彼にも東フリースランド訛りがある。けれども、彼の立居振舞は、ちっともそれらしく見えないほど極め付きである。毎年冬ともなればナーゲルホルツに姿を現わし、春ともなればキビツォイエルに行き、冬季にはアウリッヒで茶話会を開く。好みの料理が純東フリースランド風料理だとは、泣かすではないか！　さればこそ、今日の今日とて彼は東フリースランド風に料理した緑なすちりめんキャベツを食らっているのである。――いやはや、もうその美味そうな臭いをかいだだけでも鼻がひくひくするほど東フリースランドびいきなのである。東フリースランド在住各位の清き御一票を、ルドルフ・イェーリングにお願い奉る次第である（イェーリングの名前を文字に書き表わすとJheringですが、このうちHという文字は「ハー」とは読まず、「イェー」と二音節で発音することになっておりまする）。

2　ルドルフ・フォン・イェーリング「法学者としてのわが生涯」

一　訳者解説

イェーリング自身の手になるこの履歴書は、一八七九年一二月一九日ゲッチンゲンからクロッセン・オーデル区裁判所判事のネッターあての書簡において書かれたものである。翻訳のテキストは、左記である。

Rudolf von Jhering, Kurzer Lebenslauf (19/12/1879), (in) Rudolf von Jhering, Der Kampf ums Recht, hrsg. von Christian Rusche, (Nüirunberg 1965), S. 445-448.

イェーリングのひとり娘へレーネは商法学者ヴィクトル・エーレンベルグに嫁し、この夫妻の娘ヘドウィヒは理論物理学者マックス・ボルンに嫁した。すなわちボルン夫人は法学者イェーリングの孫娘にあたる。原子物理学者のボルンは一八八二年生まれで、ドイツの各大学に勤めたのち、一九九三年にイギリスに亡命してエヂンバラ大学教授となり、一九五四年ノーベル物理学賞を受賞した。この書簡はボルン夫人のもとで保管されていたが、イェーリング・アンソロジーの編者ルッシェに提示されたものである。

書簡の名宛人ネッターはイェーリングの旧友で学位授与時の対質者であった。イェーリングは一八四三年にベルリン大学ローマ法私講師となり、一八四五年スイスのバーゼル大学正教授に赴任し順調な学究生活に入った。その後イェーリングは、ロストック大、キール大、ギーセン大、ウィーン大、ゲッチンゲン大と招聘に応じた。この間、イェーリングは妻と二度死別し、三度結婚した。この書簡は、一八四五年バーゼル大への赴任から一八七九年ゲッチンゲン大時代までを記述している。イェーリングは、ここでその学問生活、家庭生活、社交生活、精神生活、とくに『法における目的』執筆に関する断固とした決意と苦悩とを率直に述べていることが、興味をひくとおもわれる。

二〔邦訳〕「わが生涯」（一八七九年）

一八四五年の復活祭のころ、私はバーゼル大学教授として赴任し、バーゼルで、ブルックハルト（Burckhardt）に出会った。ブルックハルトはそれからじきに結婚したが、惜しむらくは、数年後に死去した。バーゼル大学在職中の一八四五年秋に私は、ロストック大学教授に招聘された。そのすこし前、私は、妹の友達であるオルデンブルグ生まれの女性と婚約していた。彼女は私の最初の妻となった人であったが、私が彼女と知り合ったのは、帰省の折、私の実家に遊びに来た時だった。一八四六年の復活祭のころ、私はロストック大学教授に就任したので、彼女と結婚できることになった。

私は彼女と限りなく美しい二年間をすごした。それは、何ものにもかえがたい美しい年月だった。私の妻が出産したとき、私の幸せはそのきわみに達した（と思われた）が、妻が突然急死したため、幸福はうち破られた。私の妻は、出産後順調だったのに、九日目になって気分がすぐれなくなり、翌日、ベッドから起きようとしてベッドの上で倒れ、そのまま不帰の客となった。この時以降の限りなく悲しい日々については、話を避けよう。すでに妻の生存中に私はキール大学に招聘され、一八四八年の復活祭にこれを受諾したのだが、けれども、シュレスヴィッヒ＝ホルシュタインで暴動が起きたので、キール大学への転任は、一八四九年の復活祭まで延期した。私はキールで新たに、シュレスヴィッヒ出身の一人の若い令嬢と知り合った。私は、以前、彼女とその両親とともにしばしばスイス旅行をしたことがあって、すでに旧知の仲だったが、彼女は、当時すでに私の心に深い印象を与えていた。この令嬢が、私の二度目の妻となった。キールは大変快適だったが、国情の将来が乱れているとともに不安定だったので、私は、一八五二年に、ギーセン大学への招聘に応ずることにした。私はギーセンで生涯の大半を過し、ここで、私は、ギーセンで出版した『ローマ法の精神』の諸巻や、若干の小著や『イェーリング年誌』の編纂によって、敢えて言えば、名を揚げたのだった。当時の家庭生活と社交生活とは忘れえぬものである。知情においてすぐれていた私の二度目の妻は、よく出来た人だったので、私は改めて幸せをつかむことができた。彼女と私とは、六人の子宝に恵まれた。そのうちの一人は、生まれてまもなく他界したが、五人の子供は、今日に至るまで健在である。けれども、運命の杖は、またしても私の身にしたたかに打ちおろされたのであった。私は、最初の妻と同じ悲運にあらためて見舞われた——私は、十七年間の結婚生活の後、一八六七年に二度目の妻をなくした。妻は、肺結核を長く患らっていたのであったが、私は、妻のなくなった約一年前まで、それにまったく気が付かなかった。この悲しみのきわみにあった時期に、新たに、生活と能力の発揮とにかかわる申し出がなされた。それは、ウィーン大学への輝かしい招聘であった。私にとってギーセンは憂鬱な所となってしまったので、私はこの招聘を断わる気にはなれなかった。私は、この招聘を、わが生涯に対するとても有難い天の配剤と感謝しなければならない。私は、ウィーンで、悲しみに満ちた過去に別れを告げ、新しい人生を切り開かねばならなかった。そして私は次にそうしたのであった。このため、私は、（わが子の家庭教師（Erzieherin）をしていたブレーメン出身の一婦人と）三度目の結婚をした——私は、心の寂しさに耐えることができなかったのだ。ウィーンでは、家庭生活以外の点では豊かな充実感が与えられたが、家庭の侘しさは、いかんともしがたかった。私は、一八七二年にウィーンからゲッチンゲンに移ることにした。——私がこう決めたのには、皆がずいぶん驚いたものだ。私が、あらゆる点で輝かしいウィーンにおける地位を、ゲッチンゲンにおけるまことに変化にとぼしい大学教授としての活動やたいして関心を引く訳でもない生活と取り替えることに決めたのは、ゲッチンゲンや北ドイツが好きだったからではなくて、全身全霊を打ち込んで学問に生きたいという欲求に駆られたからであると共に、新たなるわが任地における静寂さと単調さとの中に心のゆとりと落ち着きを見出し、もって、私が心に懐き、その実行にこそわが生涯の価値と使命とがあるのだと考えた著作〔『法における目的』〕を完成したいと思ったからである――私は、ひとえに学者としてわが義務をまっとうせんがために、外面的地位の満足と栄光とを捨て去ったのである。私は、すでに当時、この著作〔『法における目的』〕を執筆しおえるためには、どれほど多大な犠牲を伴うかということを、悟っていた。ゲッチンゲンで私は、実際、物静かに安らかに暮らした――幸福に満ちた家庭生活――気持ちの良いつき合い――大体のところ、私は著作家としてのわが職業に生きたのであり、私は、この職業の中にこそ、私自身の職分と満足とを見出したのであった。他方で私は、大学教授というわが職業の半面を占めている講義がまったくなかったらどんなに良いだろうかと思った。というのも講義を全然やらないで済ますことが出来るなら、私は、著作に全身全霊を打ち込めるからだった。年をとればとるほどに、私は、自分の精力が講義に奪われるのを、わずらわしく思うようになり、学問に貢献するためだったら、大学教授としてよりも著作家として能力を発揮したほうがましだと思うようになった。もしもお金が十分にあったなら、私は、大学教授をやめて、ひたすら、著述に生涯を捧げたことであろう。けれども大学教授の職に踏みとどまり――やむなく精力を振りわける。おそらく私の思った以上に按配よく、講義のためにも著述のためにもひとしく能力を振り向けることが――私の取りうる唯一の方便であり、私は現状においては大学教授たらざるをえなかった。これ以外の点では、私は、まったく満足しており、たとえ私の講義を聴講してくれる学生の数がわずかであろうとも、私はくじけない。ゲッチンゲンへ転じてからは、原稿代が安くなってしまい、これでは確実に破産するとまで私は思ったことがある。しかし、それほど実入りが少なく、私の財産の大半が、借金もないのに全部なくなってしまっても、私は屈しない――ただし、いまだに私は幾多の思いつきや着想を心に懐いているのに、大学教授としての雑務に追われて暇がないため、これらの着想が日の目を見ることもないまま、雲散霧消するのではないかと心配している――こんな気がかりだけが、私がたったひとつ懐いている唯一の心配の種である。

（一八七九年）

3　イェーリング「法感情の発生について」

一　訳者解説

一八八四年（明治一七年）三月一二日にイェーリングがウィーン法学会において行なった講演「法感情の発生について」に関するものである。

この講演に先立つ一二年前の一八七二年（明治五年）三月一一日にも、イェーリングは、同じウィーン法学会において、「法心理学の一考察」と題する講演を行なっているが、この講演こそ、イェーリングの名著『法をめぐる闘争』[1]の母体となったものである。この第一の講演は、ウィーン大学訣別記念講演としての意味をも有しており、以後彼は、ゲッチンゲン大学の静寂の中で、ライフ・ワーク『法における目的』の執筆に、全身全霊を没頭させていったのである。

第一の講演は『法をめぐる闘争』と改題されて出版された結果、今日まで世界各国語に翻訳され、わが国においても広く読まれている。これに対して、一八八四年の第二の講演は、今日までほとんど顧みられることがなかった。その主たる理由は、次のような事情で公刊が遅れたことにある。第二の講演は、四日後の一八八四年三月一六日号（第Ⅷ巻一一号）の「一般法律家新聞」（ウィーン）に掲載され、以後、三月二三日号（第Ⅷ巻一二号）、三月三〇日号（第Ⅷ巻一三号）、四月六日号（第Ⅷ巻一四号）、四月一三日号（第Ⅷ巻一五号）と五回にわたって連載された他、公刊の機会を失った。(2) イェーリングの第二の講演におくれること五年目の一八八九年一月二三日、現象学派の哲学者フランツ・ブレンターノは、同じウィーン法学会において「法と道徳との自然的サンクションについて」という演題で講演を行ない、イェーリングの第二講演に対して現象学の立場から批判を加えた。

ブレンターノは、上記講演を加筆改題して『道徳的認識の源泉について』(3) を同年出版し、同書は一九三四年まで三版を重ね、一九〇二年には英訳書も出版された。(4) したがって、イェーリングの第二講演は、ブレンターノの著作を通じてしか、その存在を知られることなく経過したのであった。

イェーリングの第二講演がはじめて公刊されたのは、講演から約八〇年後の一九六五年に、クリスチャン・ルッシェの編集するイェーリングのアンソロジーにおいてであった。(5)

わが国においても第一講演を母体とする『権利のための闘争』は今日まで多数の人々によって邦訳されてきたが、邦訳者たちは、第一講演と内容的にも深く関連する第二講演の内容はもとより、その存在にさえ、ただの一人も言及することはなかった。唯一の手掛かりともいえるブレンターノの著作『道徳的認識の源泉について』は、昭和四五年に邦訳されているのであるが、批判の対象となったイェーリングの第二講演は、ここでも直接に参考にされないままであったように見受けられる。[6]

このような理論史的状況の中で、数年前、私は、法と道徳の起源をめぐるイェーリングとF・ブレンターノとの間の興味深い論争の素描を試みたのであった。[7] しかしながら、原典に該当するウィーンの「一般法律家新聞」に直接あたるすべをもたないために、第二講演の邦訳原稿を打ちすてたまま、今日に至った。[8]

しかるに、一九八一年ミュンヘンのアンチクヴァリアートの斡旋により横浜税関を経由して届いた多数の理論法学の書物を整理中、上記イェーリング・アンソロジーの編集者であり第二講演の公刊者でもあったクリスチャン・ルッシェ氏旧蔵のものと推定される同氏の署名本数十点のうちに、イェーリングの第二講演の原典ともいえるウィーンの「一般法律家新聞」の該当頁の製本済コピーを、見出す幸運に恵まれたのであった。

他ならぬこの製本済コピーに依拠してルッシェ氏は第二講演を公刊したのではないだろうか、という推測を、私は打ち消しえないのであるが、このような事情のなかに、学問に携わる者の不思議な機縁を感じつつ、上記ウィーンの「一般法律家新聞」に依拠して、以下に、イェーリングの講演「法感情の発生について」を訳出する次第である。

（1） R. v. Jhering, Der Kampf ums Recht, 1. Aufl., Wien, 1872.

（2） Über die Entstehung des Rechtsgefühls, Vortrag von Dr. Rudolf von Jhering—（Gehalten in der Wiener juristischen Gesellschaft am 12. März 1884), Allgemeine Juristen Zeitung („früher österreichische Advocaten Zeitung“), Wien　16 März, 23 März, 30 März, 6 April, S. 121-172.

(3) Franz Brentano, Von Ursprung sittlicher Erkenntnis, nebst kleineren Abhandlungen zur ethischen Erkenntnistheorie und Lebensweisheit, (in) (hrsg.) Oskar Kraus, Die philosophischen Bibliothek, Bd. 55, Leipzig 1889, 1. Aufl.; 1921, 2. Aufl.; 1934, 3. Aufl.

(4) Franz Brentano, The Origin of the Knowledge of Right and Wrong, (Tr.) Cecil Hague, Constable & Co., 1902.

(5) Rudolf von Jhering, Der Kampf ums Recht, Ausgewählte Schriften mit einer Einleitung von Gustav Radbruch, hrsg. von Christian Rusche, 1965, Nürnberg. ただし本書に収録されたイェーリングの講演は、ウィーンの「一般法律家新聞」の冒頭一頁分が無断で省略されている。

(6) ブレンターノ「道徳的認識の源泉について」(水地宗明訳)、細谷恒夫編『ブレンターノ、フッサール』(中央公論社、昭和四五年)。さらに、イェーリングの本講演は、主題として法感情を論じる下記ふたつの研究書において、取り扱いを異にしている。Erwin Riezler, Das Rechtsgefühl, Rechtspsychologische Betrachtungen, 1921 München, Berlin und Leipzig は、イェーリングの講演と同じタイトルの第II章「法感情の発生」において、本講演を掲載したウィーンの「一般法律家新聞」を参照して、イェーリングが Instinkt に言及したことに触れている(同書 S. 43)。しかしながら、近年出版された最新の法感情論の研究書 Christoph Meier, Zur Diskussion über das Rechtsgefühl, 1986, Berlin は、イェーリングの本講演に言及していない。

(7) 拙稿「法と道徳の起源—イェーリングと現象学」名古屋音楽大学研究紀要第六号(昭和五八年)。

（8）　イェーリングは、本講演のおわりの部分で「この講演をもっと敷衍した形で出版したいと思っております」と述べているが、このプランは、生前中には実現できなかった。しかし、遺著『ローマ法発達史』（Entwicklungsgeschichte des römischen Rechts, Leipzig, 1894）の中で、この点に関して詳論されている。

二　〔邦訳〕「法感情の発生について」* （一八八四年）

ルドルフ・フォン・イェーリング博士の講演――（一八八四年三月一二日にウィーン法学会において挙行）

＊　（原注）　ウィーンのアルマ・マーテル〔母校ウィーン大学〕の有名な前法学教授にして本学会の名誉会員〔たるイェーリング〕の本講演は、一法学的論題の聴講に関しては多分これまでになかったほど多数の聴衆によって受け入れられた。

ルドルフ・オーストリア皇太子殿下、カール・ルードヴッヒ大公、およびライネル大公は、講演者〔たるイェーリング〕に自己紹介を許され、講演者とともに、かつ、出席された法曹会の重だった人々、わが国の三人の最上位裁判官たる長官たち、シュメリング、Gf. ベルクレディおよびウンガーと、比較的長い時間にわたって懇談された。大臣たるプラザーク男爵とコンラッド男爵、ＯＬＧ長官ストライト男爵およびＯＬＧ副長官 R.v. ケラー、第二長官 v. ストレマイエル、貴族院議員にしてGproc. 枢密顧問官たるグラザー博士、本法学会の会長たるヘイエ男爵、本法学会の副会長たるジャッケス博士、さらにノイマン男爵、Fr. v. ハズネル、トマスチェック男爵、アルネス官廷侍従―衆議院議員バンハンス博士、同ルストカンデル、同シュトルム、同トマゼズーク、ヴァイトロフ、弁護士会会長ヘルトル男爵、および尊敬されている比較的多数の裁判官職にある人々、および、司法、公証人職にある多くの人々が、自在な話し振りのなかで一時間半以上にわたって展開された本講演の多くの才気換発な適用例や自然科学の最新の状態から取られた多くの例証によって、注意と活発な喝采をもって本講演者〔たるイェーリング〕につき従ったのであった。

オーストリア皇太子殿下！　御来聴の皆様方！

私は、私が私の任務を全うしうる状態にないという告白をもって、私の講演を始めねばならないのが残念です。内容の点で私は、この告白をお約束できうると存じます。私が論じようと思います問題は、私の努力しております思索の対象に永年にわたってなっているものでして、私は自分自身で、すでに、久しい間結論に達しているのであります。

ですから、私は、この点で自分の考えを述べることができると存じます。けれども、私は形式の点で、残念ながら皆様方がお持ちになってみえたいろいろの要求に応じうる状態にないということを打ちあけねばなりません。私は演説を事とする者ではありません。私は、大学の教師であります。私はつねづね自由に話すことに慣れてきております。しかし、私は諸講義においては叙述の明晰、平明、明白を目標にして参りました。名講義の術を私はなんら用いたことがありませんし、その習慣もありません。また、その任でもありません。私は、口頭の講義は詳細な点まで仕上げておき、暗記しておくことを常としております。もし私がいつものようにしようと思いましたならば、私は全く困ったことでありましょう。なぜならば、私は何も準備してこなかったからであります。皆様！　私は、誠に失礼ながら、始終昔ながらの私のやり方でやり、きっとそうなると思っておりますように、私の自由な講演が多くの欠点をもたざるをえなくなるであろうという危険をもいとわずに、ここでは自由にお話しすることを、皆様方にお許しいただかねばなりません。私が当地ウィーンにおいていぜんから受けております御好意と寛大なる評価に対し、このたびもまた私の願いが達成されるであろうという確固たる信頼の念を、私は懐いております。ですから、私はこの機会に、何度も私に賜りましたこのような御好意と友情に対し、ウィーンの方々にこの公演の場をお借りして、私の深甚なる感謝の念を表明しておきたいと存ずる次第であります。（拍手）

皆様！　今日私がお話しする講演は、ある意味において、何年か前にこの法学会で行う光栄に浴しました講演、すなわち、法をめぐる闘争に関する講演の一部を成すものです。このふたつの講演は、法感情を対象にしております。この場をお借りしてはっきりとお断りしておきたいと思いますのは、前回行なった対象が、法感情の侮辱的な軽視に対する道徳的、実際的な反応にあったということです。というのは、あたかも私が訴訟好きな人に向って訴訟をすすめるような口振りだったというような意見が私によく加えられたからです。私は、ただ、虐待に抵抗する健全で力強い法感情を弁じただけだったのです。私が今日お話しする講演の対象は、前回の講演と同じですが、しかし、別の側面、法感情の内容という側面、もっと詳しく言えば、私たちが現代の法感情の内容と呼んでいるあの最高の諸原則と諸真理の内容はどこから生じるのかという問題に関するものです。こうした真理は生得的なのでしょうか、つまり、私たちが意識するようになってはじめて、会得されるのでしょうか。それとも、歴史の産物なのでしょうか。何年か前にこういう質問をされたのでしたら、私は、遠慮なく、法感情の内容は生得的なものだ、と答えたでありましょう。けれども、そんな風に答えたのでしたら、反対の見解を採ろうとした人には、誰にも理解されなかったでありましょう。当時私は、人間自身がこういう諸真理の保証を有しているということを、そうとしか考えられないほどに確信しておりました。けれども、もっと後になりまして、私には疑念が生じてまいりました。この疑念は、ここではお話しする必要のない方法と道筋によって生じたものです。まもなく私は、歴史的な方法、比較の方法から、ヒントを得ました。私は、生得説と完全には一致しない、文化的民族においてその発展の初期にも存在するような法制度のあることを発見しました。私は、同一の民族において、本質的・原理的な道徳上の問題に関して矛盾のあることを発見しました。ですから、私は徐々に、道徳的真理と法的真理とは生得的たりえないという見解に達しました。もし生得的なものでしたら、真理は、後代になってそれらを認めた民族においても、昔から有効だったにちがいありません。実際には諸真理は有効ではありませんでしたし、したがって、諸真理が感情に無縁であった時代があったのです。かくして、私は、次第次第に道徳的真理や法的真理は生得的なものだとする通常の理論はまったく裏附けのないものだという認識に達し、そしてついにはそう確信するにいたったのです。私は、はじめてこうした見解に達したことに、自分自身おどろいているということを否定しません。私は、足の下のしっかりした大地がゆらぐのを感じるように思いました。それはまるで、私のもっとも重要とする確信とともに頭を混乱させそうな深淵がぱっくりと口を開けたかのように、私には思われました。けれども、私は、その危険を直視したのです。私は、ひるむことのなかったことを喜んでおります。というのは、私は、自説のために、道徳的な確信を犠牲にしなければならなかったからです。変ったのは、道徳的な確信の基礎だけです。道徳的な真理を人間にひきおこしたと称される自然のかわりに、私の場合には、歴史が立ちあらわれたのです。私は、自然にも歴史にも神の啓示を認めます。私は、神を、あらゆる道徳的なるものの究極的な根源とみなします。けれども、私は、神が自然にのみあらわれるはずだとする見解ではなしに、神はまさしく歴史においてはじめてあらわれるという見解です。私の確信するところによれば、以下で光栄にもお話し申し上げる私の見解は、道徳的なるものの神聖さ、道徳的なるものの観念をなんら妨げるものではなく、私の考えによれば、道徳的なるものの観念は以下のような見解によってこそ、正しく認識されるのだということを、この講演でも同じように、あらかじめ言っておきたいと思います。

以下では、まずこういう点で対立し合っているふたつの見解を、簡単に特徴づけてみることをお許しいただきたいと存じます。このうちのひとつの見解は、生得説（die nativistische Ansicht）と呼ぶことにします。生得説の主張によれば、我々は生まれつき道徳を身につけており、自然が我々に道徳を与えたことになっております。もうひとつの見解は、歴史説（die historische Ansicht）と呼びましょう。この説によると、歴史が道徳的なるものの開花を我々に与えたことになっております。今晩の問題は、この設問の解明ですから、設問を端的に要約すると、「道徳的なるものの根源は、自然か、それとも歴史か」という風に言えます。もう少し補足しておく必要のあることに、今気がつきました。自説に到達しました当時、私は、また、こうした見解が、全時代、全国民の中で最も優れた思想家のひとりであるイギリス人、ロックによってすでに示されていることを知りませんでした。そういうことを知らなかったということは、法律家である私の場合、大目にみていただけるでありましょう。と申しますのは、わがドイツにおける法哲学や論理学の叙述において、ロックが論じられたことはないからです。ロックがかつて彼の見解を弁じて以降、哲学が安んじて道をすすんだということは、私には合点がいきません。ロックは現在のところ忘れさられておりますが、しかし、たとえロックとことなる完全な方向においてであろうとも、私がロックの見解にあらためて敬意を表しうるという功績は、私に帰するとはけっしていえないと思います。私は、当然に私に属するわけではない独創性について嫌疑を受けないよう、この補足を必要と考えたのです。

ではまず、ふたつの見解を見てみましょう。はじめに生得説を取りあげてみましょう。この見解は、ギリシャにまで遡ります。ギリシャ人は、法に関して性質（*φυσει*）、すなわち、自然それ自体が我々に置いた法と、正義の行為（*θησει δικαιον*）、すなわち、その権威をたんに実際上の約定に負う法とを区別しております。

このちがいは、実に多くの哲学的観念と同じようにギリシャからローマ法律学に渡り、法律家なら誰でも知っている市民法（jus civile）と万民法（jus gentium）という形をとります。市民法（jus civile）は、実定法で内的な資格がなくても変りうるし、うつろうものです。万民法（jus gentium）は、内的な必然性に支えられており、それゆえ、どこでも、万民において同一な法です。万民において一致すること、これがこの永遠に真理で公平な法の標識なのです。この理論は、ローマ法学と共に、中世を経て現代に、現代の法哲学者に受けつがれました。私の知るかぎりでは、完全に議論の余地なき外観が、哲学者から私共法律家まで、そして今日にまでとられております。生得説それ自体は、実に様々な変種を有しており、私の見るかぎり、このちがいさえはっきりしないほどです。生得説は、逆のことを思ってもみませんでしたし、逆の見解を予期することなしに来たというまさしくこの理由により、生得説は、それ自身の多様性を自分で意識することもないようになりました。そこで私は、自問自答して私自身の反対者の蒙を開かざるをえないといえようかと思います。この生得説を三つの変種に分け、これを物質主義的見解（die materialistische Ansicht）と呼ぶことにします。詳しく言いますと、第一の変種は、実生活に広まっている素朴な見解です。とくに科学上みられる第二の物質主義的見解は、進化論的見解と呼びましょう。第三の変種は、形式主義的見解です。素朴な形をとっている物質主義的見解の要点は、道徳的な諸真理、最高の法的諸原則は、自然そのものによって我々に示されるとする点にあります。私たちが必要とするのは、私たちの法感情だけです。あるいは、私たちの理性を問うと言われるのと同様に、こういう諸真理は、おのずから明らかなのです。「汝、盗むなかれ。奪うなかれ。殺すなかれ。汝、嘘をつくなかれ」という諸命題は、だれにでも、おのずから理解されます。したがって、これは第一の見解です。この見解によると、道徳的なるもののまったく重要な内容は、すでに、感情ないし理性のうちに示されているのです。第二の物質主義的見解は、進化論的見解と呼ぶことにしましょう。この見解によれば、この基本的見解は、この内容全体によってすでに自然により示されているのではなくて、ただその萌芽によって私たちの内に含まれているにすぎないとされています。けれどもその萌芽は、蕾を開かねばなりません。芽に蕾をつけるのは、歴史であり、哲学者の思考でもあります。法哲学の可能性は、この点にもとづいております。法哲学は、この法感情の胎内に潜んでいるものを取り出し、それを表面にたぐり寄せ、それを学問的に関連づけるのです。けれども、この第二の見解も、こういう諸真理の究極的な萌芽を人間の感情の中に置いたのは自然なのだと考えております。

最後に、第三の見解は、形式主義的見解です。この見解は、前にあげたふたつの見解に対立する思慮を意識しております。この見解は、もっぱら衝動（Trieb）を、すべて内容をすて去って、人間にさしはさむことによって、ふたつの見解を回避しようといたします。皆様、一見したところではこの見解は、三つのうちで最高の見解であります。自己保存の衝動が生活に関する法規の源泉となるように、この道徳的衝動は、全道徳的真理の根源となります。私の見解によれば、この見解全体は、大変な思いちがい、煩わしい必然性を回避しようとする詭弁的（dialektisch）術策にもとづいています。私としては、内容が無規定のたんなる衝動を考えることはできません。そんな衝動によっては、なにも得るところがないのです。この見解についてこれ以上詳論しないことをお許し下さい。私の述べる反論は、全部で三つのこういう見解にひとしく向けられるでありましょう。私が述べました、諸見解のこういう区分は、学術史上価値をもつだけなのです。私がここで反論しようと思います見解は、自然こそ――私はこれらの見解の共通点がここにあることを強調しているのですが――人間に何らかの天賦の才を附与したのだとする見解であります。

さて、私が思いますには、そうではありません。自然が人間に附与した道徳的なるものを発見する天賦の才は、まったく十分なものでした。しかし、人間は、時代の流れの中で、人間にあたえられるさまざまな感化の影響を受けて、道徳的なるものの諸原則を発見してきたのです。しかし、よく言われるように私も自然を遡ってみたいと思います。自己保存の衝動は、法に立ちいたるものであります。したがって、私たちは、この点で、法規の発生に作用する衝動を得るわけです。けれども、私の見解によれば、それは外見にすぎません。自己保存の衝動は、動物にもあります。私たちは、このようなたんなる衝動を理由として、動物にも道徳的原則があると考えるでしょうか。自己保存には自然が関係しております。道徳界を建設した法が存在するならば、個人は、自己保存の権利と義務とによって道徳的な性質を帯びることになります。しかし、そうなるまでは、個人は、動物と同じ段階にあるわけです。ですから、私は、このように法感情を自然に結びつけることすら、否定するものです。私の考えによりますと、法感情、ここで私が考えております道徳的感情、法的・道徳的な諸真理の内容は、歴史の一産物であります。法規、法的諸制度、道徳的諸規範は、こうした感情に規定されているのではなくて、それらが、かつて存在し実生活上の欲求等を反映したことに応じて、実生活の実力、実際上の欲望によって、こうした諸制度になったのです。ですから人間の感情は、後ほど説明するようなやり方でこうした内容を拡大してきたのです。

それゆえ、私たちの法感情は、歴史のなかで実現されてきた現実の事実に依存しています。けれども、法感情は、まさしく具体的なるものを一般化し、こうした方法では諸制度に含まれていない命題となるので、法感情は事実を陵駕するのです。ですから私は二つの見解の対立を述べたのです。さて以下では、こうした対立の批判を行なってみましょう。

私は、三通りの観点から、すなわち自然観察の観点、歴史の観点、私たちの内心の心理的な観点から、生得説と歴史説というふたつの見解を比較してみましょう。

はじめに、自然の観点があります。ここで私は自然が唯一の創造主であり、自然は矛盾も飛躍も知らず、それどころか一つの計画が低次のものから高次のものにまで貫徹しているという近代自然科学の観点を受け入れることにします。さて、こうした考えにもとづいてふたつの見解を吟味してみますと、生得説は矛盾を来たします。といいますのは、生得説は、とにかく、人間に賦与される自己保存の衝動を仮定し、その後で、人間に対して均衡を保つべきもうひとつの衝動、すなわち、道徳的衝動を仮定しているからです。生得説によれば、自然は、当初から分裂的につくられていて、一方の心室でエゴイズムを、他方の心室で道徳をつくったのでありましょう。なんとやっかいなことでしょうか！　こっちではエゴイズムが操られ、あっちでは道徳が操られるとは！　私は、以前、この見解を心理学上の両院制（Zweikammersystem）と呼んだことがありますが、これはまったく正鵠をえていると思います。両院制の価値をうんぬんせずとも、私たちは、生得説を自然の観点から非とせざるをえません。生得説にくらべれば、私の見解は、自然と完全に合致していると思われます。自然は、動物に対してと同様、人間にエゴイズムを賦与しましたが、しかし、人間には精神をも賦与したのです。人間は精神力によって時のたつうちに道徳的世界秩序全体を創り出したのです。

私は、自然に関して、人間的知性と人間的経験、すなわち、人間が経験によって賢くなるという人間の天賦の才以外には、なんらの要件も必要といたしません。

人間はこうした天賦の才を具備して世界にあらわれるのです。そこで、人間は、他人と共同生活を営もうとするならば、一定の掟に従わなければならないということに、すぐ気がつきます。こうした経験が寄り集って、ついには、他人との共同生活に関係する原則が立ちあらわれてきます。それゆえ、個人の他に、さらに、そうした原則を要求する社会が加わってきます。個人の自己保存は、社会において繰り返されます。

自己保存！　私は、たんに外的な生存の保存だけではなくて、自己主張をも、自己保存の意味に解します。自己主張のこの同じ衝動は、社会のより高次な領域で繰り返され、この衝動から道徳的なるもの（das Sittliche）が生じ、そうして、道徳的なるものは、国家の外的な威力によって強く主張されると、社会組織の秩序に他ならないものとなり、社会そのものの威力、すなわち、世論の威力によって主張されると、法律に他ならないものとなります。ですから、私たちは道徳的なるものをモラル（Moral）と呼んだり、習俗（Sitte）と呼んだりします。こうした諸モメントはすべて、生存、幸福な生存、社会福祉を目的とします。ですから、私は一つの計画をもって道徳的なるものの発生を論じるわけです。この発生は、個人から社会にまで高まり、そして、社会がはじめて、「汝は我々の欲求、我々の要求に従え」という要求を個人に向けるのです。道徳的なるものは、社会とともに始まるのです。これが私の第一の考察といえましょう。

さて次の問題を考えてみましょう。ともかくこの反対理由は存在しないものと仮定すると、問題はこうなるでしょう。自然の観点からすれば、自然が人間に道徳的なるものに対する特別の才能または道徳的なるものへの手引きを与えることが必要ではないかと。そして私は、いったんこの問題に注目したいと思います。我々はここでは、哲学者たちがそうするように、原則を一般的に理解する必要はなく、私は法律家としてやってみます。すなわち、私は、このいわゆる諸真理を、その実際上の結果にまで追求し、そして、ふたつのいわゆる生得の真理、いいかえれば「汝、殺すなかれ」、「汝、嘘をつくなかれ」という法原則と習俗とに、道徳的なるものを関連づけようと思います。

ですから、私たちは、こう考えましょう！　自然が人間をつくったのだが、今では倫理が自然に対してこう要求している。人間には動物より多くを与えよ、人間には道徳的な原理を与えよ、人間が他人と共同生活を営むのに必要な命題を与えよ、と。

さて私たちは、自然がそうしたと仮定して、こうした命題をもって世界に入っていく人間を観察してみましょう。「汝、殺すべからず」――そこで彼に対して、その生命をおびやかす他人が対立しようとします。これが、「汝、殺すべからず」という命題の最初の障害です。彼はどう行動すべきか。彼は命題に従うべきか。彼の自然感情は、彼に向って「否」とささやく。彼は自分の生命を主張する。すると、命題は犯される。これは、倫理学がいわゆるその真理を維持できず、倫理学が譲歩せざるをえない第一の場合でありましょう。この場合、命題は実行されえないことになります。

別の事例を考えてみましょう。ある人がその財産を失うおそれがあるとします。彼は、全財産を強奪しようとする人を殺す以外に手段がないとします。彼はそうしても良いでしょうか。上記の命題によれば、そうすることは許されません。この命題に反して、彼が殺しをしたとなると、今や、倫理学は、この法規に対して責任あるものであった場合には、普遍的な命題に全面的な例外を添加したことになりましょう。ともかく抜粋した例によれば、文言は「汝、殺すべからず」であったはずです。けれどもこの命題は、次のような一連の例外を受けているのです。

1　正当防衛の場合には、殺してもよい
2　古代民族の場合そうであったように――姦通者は殺してもよい
3　汝の財産を守るためならば殺してもよい
4　国家が生まれてこう問う――いったい私の諸権利はどのようにして生じるのか。私は犯罪者を死刑に処しても良いのだろうか。そこで倫理学は肩をすぼめる。「そうだ、その通りなんだから仕方がないさ」

私は例外を全部かぞえ上げるべきでしょうか。「汝、殺すなかれ」という命題が、人間にとって生得的な絶対的真理たるべきであるならば、こういう例外もまた人間にとって生得的であるはずだ、と申せましょう。ですから、この命題は、不条理に（ad absurdum）使われているわけです。

第二の命題「汝、嘘言をつくなかれ」を取り上げてみましょう。――これは、疑いもなく、道徳的な真理です。そこで、以下のような事例を取り上げてみましょう。妻が病床にあり、子供が死亡した。妻は子供の安否をたずねている。夫は真相を語るべきでしょうか。夫が妻に子の死亡をつげれば、彼女の死は確実である。倫理学はどう説くでしょうか。実際には、大倫理学者たちがこの事例について議論しており、「汝、嘘言をつくなかれ」というこの簡単な命題について、われわれの生得の感情は、我々を見殺しにするのです。人間が道徳的義務ゆえに真相を語ることを許されないような状況は、疑いもなく沢山あります。何百人かの破滅と死が、真相に左右されるような人間生活における状況があります。私の比較的新しい著書の中で、そういう事例を挙げておきました。とても危険な船舶においては、船長が船客に真の状態を隠す必要のあることがよく起ります。事態がどうなっているかを船長が正直に言うと、船客の間に混乱が巻き起こり、何百人かの生命の危険が避け難くなる。戦場において、将軍が戦場を共にする兵を見すてようとするならば、兵は意気沮喪するでしょう。兵に対して真実が隠されているというまさにそのことによって、兵は逃亡してしまうでしょう。そして、このことは、もっともなことではないでしょうか。それゆえ、例外は必要なのであり、もし自然がこれらの命題全部を――私は二つの例を挙げましたが――私たちの心の中に書き込んだとするならば、自然は各命題におびただしい注釈をつけ加えねばならなかったでしょう。けれども、これこれの命題が、あれこれの制限のもとであてはまるとはかぎらないのであります。

私は、冒頭部で、人間の創造には倫理があり、自然は人間に全命題を具備するよう命じたのだ、と述べました。倫理がこうした命題によって成した経験に応じて、倫理自身は自然に帰着するだろうと思います。汝のしたいように為せです。そして私は、自然はどのように為したかということを知っていたのだと思いますし、又、自然の為したことは正しかったと思います。自然は感情を持ちました。私が論じたような人間は、すでに救い出されて、何を為すべきかをわきまえております。蒸気機関や電信を発明した人間は、また法をつくり、道徳的な原則を発見するでしょう。私は、わが人間を信頼しております。一万年後、二万年後を見て下さい。そのころには、人間が倫理的原則をかちとったかどうかが判るでしょう。自然の観点からすれば、これこそ、私の言い切れる結論だということになりましょう。

幸運にも、私のメモ上にもうひとつの反論を書きとめてあります。そして、もし私がこの反論を見落してしまいましたならば、その反論をたぶん新聞紙上に発表したでありましょう。ですから、そんな面倒を予め防いでおきます。自分で本能（Instinkt）という言葉をメモしておいたのです。この言葉は、一定の外観をもっております。事実、自然は動物に一定の本能を賦与しました。自然は、この点で実際上、動物に特別の才能を与えております。もちろん、四〇年程前までかつての哲学は本能を生得的な法感情論の同盟者として引き寄せることができました。けれども、今日では事態が変ってきております。というのは、すでに自然科学者たちは、本能は生得的なものではなくて、動物においても歴史と経験との産物であり、動物もまた、自分自身の経験および類的経験を積み、そしてそれらを利用してきたという確実な結論に達しているのです。そこでは、きわめて特異な諸現象が観察されているのです。たとえば、一定の風土、一定の生活条件のもとで一定の活動をする動物は、さまざまな食糧、国と気候との変化によって、いわゆる自然の本能を否定して、所与の状況に対して、はじめはゆっくりと試験的に、次はより一層そして最後には完全に、適応してきたのだと私たちは考えてきました。だから、そこに本能があり、率直に言えば、本能は自然が動物自身に附与した発達過程の結果とは決して認められない、と考えてきました。しかし、そうではありません。動物、私たちが誤解してきた動物は、物事を学習してきたのです。動物は、その知力（Verstand）を使用し経験を蓄積してきたのです。私たちは、わがドイツでも、電信の導入によりこうした観察をいくつか目撃しております。ドイツでは当初、鳥が電柱や電線に頭をぶつけて何千羽となく傷つきました。地面に落ちた鳥は群れをなしておりました。数年経ちますと、こうしたことはまったくなくなって、鳥も賢くなり、現在では、鳥は電柱や電線を避ける本能を学習したのであります。

例をもうひとつ挙げてみましょう。北国沿岸にある所に燈台が建設されました。そこでも、右の例と同様、渡り鳥が何千羽となく死にました。翌年には、もはや数百羽となり、翌々年にはたったの一羽も死にませんでした。鳥は別のコースを取ったのです。すなわち、渡り鳥は、学習し経験を利用したのです。さらに、新しい動物学は、同じような事実をたくさん指摘しております。今では疑いもなく、経験と結びついた動物たちの知性は動物たちをして動物生活にとって必要なことを見い出せるまでに立ちいたったと思われます。つまり、本能はもう問題ではないわけです。ところで、生得説によりますと、動物の方は知力を駆使してやりとげたのに、人間の方は同じことをやれないことになります。自然は人間に助力するはずです、もし、そうでなかったら、人間は人間にとって必要なことを見い出せないでありましょう。皆様方は、本能については、もううんざりしてみえることと思います。ですから、以下では歴史に話を転じ、歴史の観点から二つの見解を考えてみましょう。

実にさまざまな諸民族が重要な法制度と道徳観念とにおいて合致していることを指摘するためには、生得説としては、歴史の自律性を援用するのが普通です。

事実、ローマ法学者たちもそういう援用をしておりますので、私ども法律家にとって、それはよく知られている所です。こうした合致が事実上よく言われる程度にはあると思います。けれども、問題はこうです。こうした合致は生得説の述べるような方法によってのみ成り立ちうるとする結論は正しい結論でしょうか。必然的なものはすべて絶対的にもしくは一定の文化段階において、あらゆる民族に存在するものです。民族は、いたるところで文学を発見し、貨幣を使用しはじめたのです。たとえば、こうした制度は、すべて生得説からのみ解明できるのでしょうか。むしろ、これらの制度は合目的的性（Zweckmäßigkeit）の観念から説明がつくのです。目的そのものによって与えられたものが、もっとも合目的的な手段だったのです。何度もの試行錯誤の後に、ついに正しいことが見い出されたのです。しかも、それは全国民において自明なことだったのです。金貨が全民族において見い出されるということは、必然的なことですから、人間が何万回創造されようとも、何千年後には、貨幣はいたるところで、再びあるべき場所を主張するでしょうし、しかも、今日の方法でそうするでしょう。今日と同じように、いろいろな貨幣の種類は、いろいろな金属から成っているでしょう。四角い貨幣はポケットを破るから、やっぱり貨幣は丸いでしょう。もちろん、中国人の貨幣は形が別で中国風だとも言えるでしょう――彫刻するには時間がかかりすぎるので、貨幣はさらにいたるところで、鋳造されているでしょう。したがって、こういう合致が現実に存在していれば、たとえば自然それ自体が将来の貨幣の観念を人間に教えたのだとか、この観念を人間の心の中に入れたのだという結論には、決してならないわけです。しかし、この合致は、実際上存在するとは限らないのです。ただし、この合致は、一定の段階にある文化民族においてはある程度までは存在します。この点をもう少し詳しく考えてみましょう。

自然が我々に道徳的真理と法原則とを教えたのだとする命題が、ともかく真の命題であるものとすれば、この命題は、あらゆる民族、あらゆる時代、あらゆる段階について言えるはずです。自然の為したことは、一定の文化段階で現われるばかりではなくて、いたるところで生じるはずです。人間の思考法則があらゆる民族において同一であるのとまったく同様に、道徳的真理だって、どんなところでも同一であるはずです。ひとつ、未開人について考えてみましょう。道徳的な点では、未開人の境遇は、文化民族とくらべものにならないほどですのに、そもそも未開人においてこそ、まず生得説は実現されるはずでありましょう。というのは、自然の子である未開人は、生得説にもっとも近い存在であるからです。まさしく根源にもっとも近い者よりももっと純粋に根源を発見することを、私はどこに期待できるのでしょうか、それは、実に未開人なのです。河の流れが、後になってはじめて異物を取り入れて汚濁しても、水源だけはきれいであるように、私たちもまた、未開人において、自然法、すなわち、真の法を見い出し、私たちのもとでは汚濁した法の教化を見い出すはずでしょう。けれども事実はまったく逆なのです。人が未開人によって生得説の弁護者となるならば、どうして未開人について語るだけで済ませうるのか、と言えましょう。権威をもっているのは、文化民族だけではありませんか。そうです。私自身もそう思います。ともかく、自然を支配者と認めるとするならば、未開人は、私たちとまったく同じことを自然から学び取ってきたのです。

ひるがえって、文化民族について考えてみましょう。私は、一定の発展段階において、法観と道徳的原則とは、本質上同一であることを承認します。けれども、こういう民族は、法観から道徳的原則を得たのでしょうか。この点について答は、否です。大民族ですら、道徳の痕跡のまったくない諸時代を経験してきております。こういう諸時代に注意を向けていただきたいと存じます。私は、それによって、すでに一定の文化が根づいていたあの歴史時代を理解し、当時は道徳と不道徳との対立が存在しなかった、ということを立証したいと思います。私は、私たちに部分的に引き継がれている原始時代の恐怖を指摘することによって、まずその立証を歴史から取り出せるでありましょう。私はドイツの歴史においてさえ、クローヴィス一世（Chlodwig）の御代に彼の一門に起った恐怖を引き合いに出せます。そうすれば、当時、道徳的観念は、現代と同じ力を有していた訳ではない、と断言されねばならないでしょう。けれども、こうした論証は止め、伝説の事もひとまず置いておきたいと思います。それに代えて私は、ふたつの確実な証明、すなわち、言語と神話とをご覧に供したいと思います。言語は、道徳的観念が比較的後代に存在することを、私たちに示しております。次のような多くの言葉はもともと感覚的（sinnlich）な性質のものだったのであり、何かしら感覚的なことを言い表わし、後代になってはじめて道徳的なるものに意味を転じたのです。たとえば、ラテン語の virtus という言葉の原義は、男らしさ、力強さ、勇気でしたが、後代になって美徳に転義したし、ギリシャ語の、αρετη の原義は、有効、有用でしたが、後代になって美徳に転義したのです。わがドイツ語の Tugend（美徳）も、有効、有用と同義に用いられます。勇敢、力強さ、といういいまわしが、美徳といういいまわしと等しい南スラヴ語の場合も、事情は右記と同じです。私たちが道徳的な意味で考える善悪の対立も、事情は同じです。もっとも、善悪のもともとの対立は、純感覚的なものであった、ということは、いろいろな点で立証できます。しかし、私はまず、神話の証明する点を引き合いに出そうと思います。皆様方は私と同様、神話は、民族本来の道徳観に関するもっとも確実で間違いのない証拠のひとつである、ということを確信してみえるでありましょう。私の考えによれば、神話は、道徳的なるもののもっとも古い化石と呼べるのであり、神々の形姿のなかに、民族の道徳観全体が内在している最古の民族生活の意味深い証人たちが、化石化しているのです。今、私たちがこの神々――私はさしあたりギリシャの神々をとりあげることにします――に証拠を要求して、道徳とどういう関係にあるのかと問う時、ギリシャの神々が今日私たちのもとにあらわれて、彼らの本領を私たちのもとで示そうとするならば、彼らは数日のうちに、検事局や警察署との間に物議をかもし出し、オリンポスの神々は、ことごとく、ただちに刑務所行きとなる、と言っても過言ではないと思います。ここでは、ギリシャの神々の特徴をあげつらう必要はありません。

私は、神々の道徳的な内実を吟味したのであり、今日は、ギリシャ人のばあいに神であった人間を取りまく礼儀（Anstand）を取り上げてみましょう。事実、私たちは、道徳の内実が私たち自身である、と理解しております。けれども、民族が彼ら自身にとって不快であるように民族の神々をつくりあげたとは思えません。どうしてそうなったのでしょうか。まだ民族における道徳的意識がめざめていなかったからです。後代になって、道徳的意識が生じたとき、後代と前代との間に明白な分裂が生じ、ソフォクレスやエウリピデウスのように、神々に対する反対、いいかえれば、神々の冷酷さと苛酷さとに対する不平が公然となったのですが、ギリシャ宗教の基礎は、神々がまだ道徳的意識にめざめていなかった時代から生じたことにあったのです。

人間は進歩したが、神々は捨てられ、かつて神々を見上げた人間は、今や神々を見下し、神々の世界は没落したのです、ローマの神々は、そうではありませんでした。ローマの神々は、人間ではなくて、たんなる概念でした。概念が罪を犯すわけはありません。罪を犯すのは、人間の特権であります。

今、私がこの時代の例――私はこの時代を道徳的なるものの無関心の時代と呼べるかと思います――を述べるにあたり、こう問うてみたいと思います。いったい、何が人間を向上させて、人間同朋に尊敬の念を払わしめたのか、と。

高潔な心情、道徳、信心でしょうか。そういう人間は、おろか者と見なされることはなかったでありましょう。人間を向上させたものは、力強さ、勇気、大胆、それにこれらとともに、精神の力、狡智でした。それは、ふたつの財宝であります。肉体的な力が支配的となる所では、狡智がおのずから弱者の武器となります。諸君は、この時代にこうしたふたつの類型を互に想起されるでありましょう。アキレス（Achilles）、アガメムノン（Agamemnon）とともに、オデュッセウス（Ulysses）を、といった風に。神々の世界においてすら、ジュピター（Jupiter）と共にマーキュリー（Merkur）を、ヴォータンと（Wodan）と共にローキ（Loki）を、想起されるでありましょう。

力を守るためには、狡智、虚偽が使われ、もっぱらその時代だけが理解されたのです。さて、その他に興味のあるひとつの特徴があります。それは復讐です。この時代のあらゆる伝説からは、復讐の精神が、ほとばしり出ております。それは、神々における復讐であり、しかも非人間的な復讐であります。たとえば、ニオベ（Niobe）の子供たちを殺させるレト（Leto）の復讐であり、プロメテウス（Prometheus）に対するジュピター（Jupiter）の復讐であり、オデュッセウス（Ulysses）に対するネプトゥヌス（Neptum）の復讐などであります。けれども、私が注目しているのは、人間であります。そこで興味深いのは、ふたつの叙事詩、いや、もとをただせば、三つの叙事詩――そのうち二つはギリシャとドイツの叙事詩です――が復讐の思想にもとずいていることです。〔ホメロスの叙事詩〕『イリアス』（Illias）の第一部は、ブリセイス（Briseis）を奪ったことを理由とするアガメムノン（Agamemnon）に対するアキレスの復讐を、取り扱っており、第二部においては、アキレスがギリシャ人の敗北後にいかにしてその復讐の欲望を和らげたかに始まり、やがてアキレスの親友パトロクルス（Patroklus）がヘクトル（Hektor）に殺されたことに応じて、ヘクトルに復讐心を生じるのですが、〔叙事詩〕『イリアス』は、アキレスが、無慈悲にもヘクトルの死体を町中ひきずりまわすことで終っております。『イリアス』においてとまったく同様『オデュッセウス』（Odysseus）においても、ふたつの部において、復讐が論じられており、第一部では、オデュッセウスに対するポセイドン（Poseidon）の復讐が、論じられております。オデュッセウスは、上述のように、実は、何の咎めもなかったのです。というのは、彼の友人が〔神〕牛を殺したのですから。けれども、そんなことは、神にとってはどうでも良いことですから、ポセイドンは復讐をし、オデュッセウスを無慈悲にも荒海に追払うのです。第二部は、ふたたび、家庭における求婚者たちと乙女たちとに対するオデュッセウスの復讐を取り扱っています。復讐こそ、ふたつの叙事詩の最終的結論であります。

『ニーベルンゲンの歌』（Nibelungenlied）においても、第一部は、ブルーンヒルデ（Brunhilde）の復讐、第二部は、クリームヒルト（Kriemhild）の復讐、というように、ふたつの部とも復讐を取り扱っております。ですから、いつでもどこでも復讐！　ということです。これこそ、当時の思想なのです。こうした思想に対立するものに、愛や慈善などの思想があります！　これこそ、現代です。

さて、もう一言つけ加えることをお許し賜りたいと存じます。こうした時代から、非人間的な残酷さや無法の特徴が私たちの眼前に示されるとき、私たちは、しばしば驚きます。そして、当時の人々が、私たちの道徳感情を持ちながらにして、こんなことをしでかすことを見い出して、驚くのも当然でありましょう。けれども、まさしくこうした兇行が私たちをきわめて驚かせること、いいかえれば、こうした啞然たる無法の性質は、当時の人々の念頭にはなかったのです。私が念頭に置いているこういう時代は、たとえば、野獣に対する行為のように、無法の対極にありました。獅子がその獲物を引き裂くように、力ある者は、弱者に刃向ったのです。それは、心理的な過程であります。けれども、経験された不法、不道徳の苛責はなかったのです。そして、苛責はなかったかわりに、自然は、この場合に生じる恐怖に対して代償を与えたのです。諸君、一体この恐怖は何故に存在したのかと問われるならば、私は、その答えとして、恐怖もまた必要だったのだ、とお答えしましょう。というのは、当時は、人間の意志が来たるべき道徳的なるものの時代に向けて歴史によって始めて準備されねばならなかった時代であったからなのです。人間を習俗に対して準備させせんが為には、意志の反抗、奔放は、権力、さそり鞭、鉄の棒によってねじ曲げらねばならなかったのです。私は、この世における道徳的なるものの発展のために歴史が私たちに知識を与えるあの《ろくでなしたち》(Unmenschen) を、重視いたします。道徳的なるものの発達は、野蛮人が生長するように、野蛮人を馴化し打ち負かしたのです。歴史について、もう一言、つけ加えることをお許し下さい。私は、諸君に対して、この時代を、道徳的なるものと不道徳的なるものとの対立がまだ存在しなかった道徳的無関心の時代である、と呼びました。後代になりますと、道徳と不道徳との対立がつくられるのですが、しかし、非常に特徴的であるのは、私たちが考えているように、ある不道徳に反することが、同時に他の不道徳にも反することになるほどには、絶対的な対立ではなくて、奇妙なことに、自分と同じ共同体に所属する仲間に反する行為は、不道徳で不法なのですが、しかし、同じ共同体に所属していない者に反する行為は、なんら不道徳ではないのです。周知のように、ローマ法によれば、外国人はまったく法の保護を受けません。ローマ人は、非友好民族の一員たる外国人を自分の物として買うことができました。つまり、外国人は、法的保護を受けないのです。

私たちは、こうした見方をどんな民族においても見つけることができます。つまり、外国人に向っては、どんなことでも許されたのです。そこで私は、不公平な評価を受けることの多い事例として、ユダヤ民族が、出エジプトを行なうにあたり、モーゼが、ユダヤ民族に、汝らエジプト人から金銀の瓶を持ち去るべしと勧言したという、モーゼの事例を取りあげてみましょう。私たちの現代の感情からすれば、これは非難すべきことでありましょう。しかし、身を当時におきかえてみなければなりません。当時の見方は、つまるところ、外国人ならば容易に欺くことを行うべし、ということになります。

私が右で述べたことから明らかとなるのは、ヤコブ（Jakob）とラバン（Laban）などにおけるのと同一の裏切りの事例が出てくる旧約聖書の中の例について論評したように、当時においてはまったく当然であった例であっても、私たちの感情にはそぐわないものもある、ということです。

私が前に述べたことを簡潔に思い出していただきたいと思います。私は、ふたつの見解を考察し、最初は自然の観点から、次に歴史の観点から批評を加えたのであります。

さて、私たち自身の見方である第三の観点に、目を向けてみましょう。私としても、この見方そのものを、明確に述べざるをえません、というのは、この理由は、昔の時代に幅広い確信的な力を有していたのですから。私は、この見方が正しく、かの見方が間違っている、と呼びかける声を、わが身の中に感じました。私は、良心の内容もまた歴史的である、という見解に達することになろうとは、思ってもみませんでした。

皆様方は、私が自己弁護しましても、一向に驚かれないでありましょう。私たちが信じている理論的または実際的な真理は、自然によって私たちに与えられているでしょうか。それとも、これとは逆に、歴史によって与えられているのでしょうか？　何がそうするのでしょうか。何が善で何が悪であるかを私たちに告げる私たちの良心は、歴史上いつ生じたのでしょうか。いいかえますと、善であるところのものと悪であるところのものとの対立が、時代の変遷の中ではじめて認められるのは、いつなのでしょうか。ついでに言えば、楽園の状況の中で、道徳的なるものの無関心時代を反映する聖書の天地創造説も、どのようにして着想されたのでしょうか。この対立がはじめて存在したのは、いつなのでしょうか。こうした見方が私たちに及ぼす力を、何が高めるのでしょうか。キリスト教も、時代の流れの中ではじめてあらわれてきたものです。しかし、キリスト教がはじめから存在したわけではないという理由で、キリスト教の力を軽視する人は、だれもいないでありましょう。私たちの道徳感情についても、そうなのです。時代の流れの中ではじめて生じたにせよ、ともかく存在していたにせよ、徐々に形成されるならば、その根拠は、少しもこわれないものです。道徳的感情または良心、あるいは、よく言われるように、法感情は私たちにとって生得説である。というこの見解は、錯覚にもとづいております。この見解は、私たちが、こうした感情の漸次的形成を私たちの中で観察しえないという点にもとづいているのです。けれども、私は、この点でもふたたび、自然科学との対比を用いたいと思います。以前の自然科学は、腐敗したり、かびが生えたり、分解したりすることなどといった身体における一定の諸経過は内的原因から生じ、内部からはじまる、と考えました。最近の自然科学は、そういう諸過程は、何百万、何十億と空中に浮遊する胞子によって、外部から、はじまるということを立証しています。私たちの道徳感情についてもまったく同じだと、私は断言します。比較してみることをお許しいただければ、この道徳的な胞子が、私たちを取り巻く道徳的な空気の中に、何百万と浮遊していて、幼児は、産み声とともに、この道徳的な胞子を吸い込むのです。幼児は、幼児を見やる母の愛情に満ちたまなざしから、はじめて、道徳的なるものとの関係に入り、心の冷たい乳母によって、不道徳なるものとの関係に入り、そうすることによって、道徳的な胞子を吸い込むのであります。どのようにして、このような感化がおこなわれるか、ということを追求できるならば、幼児が、どれほどしばしば、このような感化を受けるか、ご覧になって驚かれることと思います。乳母の虐待は、幼児の運命、幼児の性格に対して、その全生涯にわたって良心の苛責となることもありうると思います。このことは、個別的には立証できない秘密ですけれども、しかし、私は、何らかのことを確信するのと同様に、こうしたことの存在を確信しております。私自身について見てみますと、わが生涯の多くの出来事から、それらが、私に対して実に確定的な印象を与えたということを論証できます。私は忘れえぬいくつかの出来事を、わが幼児期からおもい出せます。幼児におけるこのような出来事を想起してくだされば、私たちが、いかなる要素からこの道徳的な糧を受け取るのか、ということを立証することはできないと、諸君はお認めになるでしょう。けれども、私たちが道徳的な糧を外部から受け取ることは、疑いありません。その証拠に、これらの道徳観は、環境に応じて様々ではありませんか。未開人の幼児は、私どもの幼児とはことなる道徳観を有しており、信仰心の厚い家族の幼児は、犯罪者の家族の幼児とはことなる道徳観を有しております。いったい、どうしてこうなるのでしょうか。それは、一方の幼児は悪い空気を吸いこむ、他方の幼児は良い空気を吸いこむ、ということに由来しております。幼児がたぶん六歳か七歳までに成長しますと、その人格（Wesen）の中にすでに、道徳的な人間が生じているのであり、したがって、これが、道徳的なるものの漸次的な形式なのであります。ところで、私は、私たちの法感情が、外部から、すなわち、制定されている諸法文と諸制度とからその糧を受け取るのであれば、どうして法感情が最終的には、同じだと考えられることになるのかということについて、さらに解明しなければなりません。法感情の糧は、諸法文や諸制度から与えられますが、しかし、法感情はそれらを陵駕いたします。私たちの法感情が、しばしば法制度と矛盾したり、私たちがこの制度との矛盾を感じたりすることは、疑いなき事実であります。もし、私たちの法感情が、私たちを取り巻く法秩序の所産に他ならないのであるならば、どうして、こうした矛盾が生じるのでしょうか。この問題に対する私の解答は、こうです。こういうことは、それなくしては人間というものを考ええず、一切の個々の出来事において何事かを抽象する、人間精神のかの抽象力（Abstraktion）にもとづいているのだ、と。幼児が言語を学習すること、幼児があれこれの表現の意味を知ること、幼児が家畜や花やその他の物を識別できるということは、この抽象力にもとづくものと言う他ないのではないでしょうか。事物を識別することを誰が幼児に教えたのでしょうか。誰も教えはしません。幼児は、名称を耳にします。この動物が犬と呼ばれ、あの動物が猫と呼ばれるのを耳にします。それがすべてです。では、子供は何をするのでしょうか。すなわち、幼児は知らず知らずのうちに犬の特徴を抽象化し、猫の特徴を抽象化し、そして、少し時間がたつと幼児は、二つの動物に応じて抽象的な特徴を識別することを知るのです。言語の場合も、まったく同じことです。だれも、幼児に抽象的な文法を教えてやらなくとも、幼児は、文法的変化や動詞の活用をやってのけます。幼児は、この文法をどこから得るのでしょうか。幼児は、耳にした単語から文法を抽象化し、ここで実におどろくべき精神作業を行なうのです。幼児は揺りかごの中のヘラクレスであると申せましょう。むしろ、人間精神に関して、私は、文法のちがいをこうして体得し抽象をおこなう幼児に対しては、人間精神の偉業に対するのと同様に、畏敬の念を覚えるものです。したがってこれこそ抽象力であります。抽象力は、多くの人間、多くの民族においては低いのですが、それとは別の人間や民族においては高度に発達しております。多くの人間においては、精神は、一貯蔵室として使われるだけです。そこでは、材料が納屋におけるのと同じように梱包され、機会あるごとに再度運び出されるのです。材料は、もとのまま良くもならず悪くもならずに運び込まれるのと同様に、運び出されるのです。抽象力は、以前に運び込まれ、今やふたたび運び出される乾草であります。

別種の人においては精神は工場です。ここでは、材料が運び込まれはするものの、材料は抽象力（Abstraktion）へと変化するのです。どうしてそうなるのかということ自体は、あまり知られておりません。けれども、運び込まれた材料は、死蔵されているのではなくて、逆にこの精神において生命あるものとなるのです。これが創造的精神であります。そこでは、どんどん作用が進行し、材料が加工され、人間自身が知らなくても何度も加工されるのです。それは、無意識に、しばしば夜、行なわれます。

私は、しばしばいろいろな問題に没頭しましたが、昼間にはその解き方が全然わからず、考えをまとめようとしてもだめでした。どんなに努力してもだめでしたので、夜に目をさましてみました所、適切な言いまわし、正しい解き方の判ることが多かったのです。一体どうして昼間にはいくら努力しても解けなかった問題を、夜ならば大して努力をしなくても解けることになったのか、自問してみました。

この場合、私たちの予想もしていない働きが、精神の内部でひとりでにわき上って来たのにちがいないということは明白です。精神は、たとえ人間が精神を意識していなくても、働くのにちがいありません。それは、ちょうど、出会った二つの元素が化学結合するようなものです。たとえ人間が望まなくても、二つの元素は作用して結合します。思想の場合も同じです。いわんや、活力ある精神においておやであります。この工場の中では、何らかの新しいものがたえず加工されて常に現われるのです。

学問における一切の進歩、実生活における私たちの判断の一切の進歩は、この点にもとづいております。私たちは、人格（Person）に関する判断をどこから得るのでしょうか、私たちは、その尺度をみずからつくり上げたのです。故意にでしょうか。決してそうではありません。私たちは、その尺度を抽象してきたのです。その尺度は私たちの中で生じたのです。この抽象という無意識的な活動によって、私たちの諸制度中に実現された法文よりも、法感情の方が先行するということになったのです。時代は、今日ほどには進んではいなかったはずです。私は、前に注意した例を全部挙げたいと思います。この講演をもっと敷衍した形で出版したいと思っておりますので、そこで、一連の例を挙げることにしたいと思います。ですから、この講演では、全部の例を挙げる代わりに、たった一つの例でもって満足することにいたしましょう。

ローマでは、窃盗は明白に禁じられておりましたが、しかし、このことは、ある人の死後、その遺産から誰でも欲しいものを取りうるということを禁ずるものではありませんでした。それは、窃盗とは看做されなかったのです。所有者がいなかったからです。けれども、後代になりますと、このことは禁止され、しかも刑罰さえも科せられました。どうして、そうなったのでしょうか。答は、法感情の抽象によってであります。「汝、盗むべからず」という命題は、もっぱら所有者に対してのみ存在したのです。その後の経過が示しているように、何故、所有者が存在している場合にだけ禁止されたのでしょうか。将来の遺産は、物に対する権利をも有しております。ですから、ある人に対して許されないことは、他の人に対しても許されなかったのです。沢山の例があります。それゆえ、一民族の法感情、およびしばしば教養ある個人の法感情、学問のなかで挙げれば法律家の法感情は、法に対する優位を主張しており、その結果として、法感情は汝は汝の原則の結果を引き受けていないかとか、汝は原則を打ち立てはしたが、それはあまりに狭すぎる理解であって、汝は汝の引き受けるべき最終結果を引き受けなかった、と言うことによって、法感情の担い手と法そのものとが教えられうるのです。かつてこうした考えを、あるところで次のように言いあらわしたことがあります。母が教え、母自身の理論を想起させるのは娘です。母が娘に与えた理論を、今度は娘が、別の事例に適用するのです。かくして、法感情は、発展した民族にとって、事実上進歩の開拓者なのであります。けれども、この開拓者は、容易ならぬ仕事を果したのです。たんなる法感情がただそれだけで、実生活に深く切り込む法文の実現を惹き起こすことを成し遂げるのではありません。歴史の示すところによれば、法感情の諸要求を実現するためには、通例、さらに実際的動機の共働が必要です。このことを歴史の中で検討してみますと、近世諸民族における最重要な諸革新は、たとえずっと前から法感情の要請としてかかげられてきたものでも、戦争によってであれ、社会運動によってであれ、おおむね苦難の時代に実施されてきたのであり、法感情の要請を実現するには、こうした実際的な圧力と強制とが必要だったということがわかるでありましょう。

講演を終える前に、もう二、三お話しすることを、お許しいただきたいと存じます。右の三つの見解のうち、ただ歴史的見解のみが、法感情の形成に関する自然科学、歴史、心理学の観点からする吟味に耐えうるものだ、ということを論証しおえたと思います。けれども、私は、反論を覚悟しなければなりませんし、また私は反論を望んでおります。もし、新しい見解にとって勝利を勝ち取ることがたやすいこととなるならば、学問は困ったことになるでありましょう。むしろ、勝利は新しい見解にとってできるだけ困難たらねばなりません。そして、私は自説のためにも、そうであることを望んでおります。たぶん、私は、私の見解に勝利が与えられるまでは、生きておれないでありましょう。けれども、私はこの見解には将来があると確信して、みまかるでありましょう。ですから、私は、この見解が真理であるということを、堅く確信しているのであります。いつの日にか、この私の見解が占めるべき場所を主張する時代が、やって来るでありましょう。私は、そうなるまでにはまだまだ時間がかかることを知っております。けれども、この問題があらゆる側面にわたって熱心に検討されんがためには、そうであることを望むものです。けれども、私はすでに解答を手に入れたと思っており、今後は、この問題の検討を使命とする学問、すなわち、法哲学が今までそうしてきたように、この問題を、もはや回避して、単純にも理性をあらゆる真理の根源とみなすのではなくて、自然かそれとも歴史か、二つに一つだ、という私の問題提起に答える責任を負うということを、公刊を予定している著書を通じて追求しようと思っております。私は、法哲学が取り除くか、あるいは、堂々めぐりする必要がないよう方向転換せざるをえない一石を、法哲学の進路に投じたいと思います。もし法哲学が、問題を回避しようとするならば、非科学的だという非難が、法哲学にあびせられるでありましょう。歴史において、すべての歴史家にとって、まず第一の問題は、史料についてであるように、法哲学の領域では、第一の問題は、私たちが告知するあらゆるものの内容を私たちはどこから手に入れるのか、ということであるはずです。私たちは、理性について語りますが、それは、生得的理性なのでしょうか、それとも歴史的理性なのでしょうか。

私の予想するところで、私の見解には非難が加えられるでありましょう。それは、人が学問的方法によって新しい見解を拒絶できない場合には、めずらしいことではありません。というのは、そういう場合に、人は新しい見解が実際上危険性を帯びていて不道徳である、というふうに新しい見解を非難するものです。私の見解に対してもこういう非難が加えられることを不道徳とは見なしません。ところで、この関係がキリスト教と類似していることを引き合いに出しましょう。キリスト教は、人間が成熟したある時代にはじめて出現したとして、私たちがキリスト教を非難しないのが正しいように、人間が成熟したとき道徳的なるものの理論が、人間をはじめて道徳的たらしめたとして、道徳的なるものに関するこの理論をも非難しないのが、物の道理というものです。ところで、人間が実際上道徳的なるものに達すれば、この見解の観点からすると、道徳的なるもののきわめて高い安定性が生じることになります。というのは、生得説の観点からすれば、道徳的なるものは、こうすることによってのみ基礎づけられるからです。ですから、道徳的なるものは、定言的命令であり、かつ、そこにとどまることになります。けれども、私の見解によれば、どんな場合にも、根拠の究極は目的であり、この点で無限の展望が学問に開かれるのでありましょう。私は、もう若くはありませんので、こうした方向で研究を進めて、どのようにして目的が道徳的なるものや法的なるものを出現させるのかということを実証できないのが残念です。私の見解は、学問に実り豊かな広野を切り拓くものであります。さらに、私の見解だけが歴史を正しく評価する可能性を有しているということを、私は主張いたします。生得説が認めるのは、道徳的なるものの不変の準則だけであり、生得説にとって過去は不道徳とされております。けれども、私たちの道徳的諸原則を昔の時代に移植することは、ちょうど夏の暑さを必要とする植物を寒い冬の夜に戸外に置こうとするのと同じように、本末転倒でありましょう。春になれば、植物を戸外に出してもよいでしょう。そうすれば植物は育ちます。けれども、戸外に出すのがはやすぎれば植物は枯れてしまいます。

最後の問題ですが、私の見解によれば、未来に対してどのような展望が切り拓かれるのでしょうか。生得説によれば、すべてが完成しており、永遠の時間に対する準則があるとされておりますす。けれども、私の見解によれば、あるのは永遠の進歩であります。過去の時代を振りかえってみますと、プラトンやアリストテレスのような賢者が奴隷の正当視を説いたことに、今日、私たちが驚くように、私の確信するところでは、来たるべき時代は、私たちを蔑視するでありましょう。そして、私たちがかつての時代に驚くように、来たるべき時代は、私たちの見方、私たちの制度に大いに驚くでありましょう。しかし、不完全であることは、完全であることの必要条件です。こうして、法と道徳との幅広い未来が、私たちを乗り越えて開かれるでありましょう。私は、次のように述べて、この講演を終えたいと思います。私たちの道徳的なるものの進歩、それこそ全道徳的観念の核心であり、歴史における神であります。

第二部　イェーリングを語る

4　ヘルマン・フォン・イェーリング「ルドルフ・フォン・イェーリングの思い出」

一　訳者解説

左記に訳出したヘルマン・フォン・イェーリング「ルドルフ・フォン・イェーリングの思い出」は、息子による父の長文にわたる回想録であり、ヘルマンの兄弟ヘレーネ・エーレンベルグ女史の編集した『友人宛イェーリング書簡集』に付録として発表されたものである。邦訳にさいしてのテキストには左記を使用した。

Rudolf von Jhering in Briefen an Seine Freunde, (Hrsg.) Helene Ehrenberg, Neudruck der Ausfgabe, Leipzig 1913 (Breitkopf & Härtel), Scientia, Aalen 1971, Anhang, S. 445—472.

ヘルマン（Hermann von Jhering）は、ルドルフ・フォン・イェーリングと彼の二度目の妻イダ（旧姓 Ida Fröhlich）との間に、一八五〇年一〇月九日キールで生まれ、後に医学博士になり高名な生物学者となった人物である。ヘルマンは三〇歳で、すなわち一八八〇年にブラジルに移住した。この回想録の中にしばしばブラジルの例が引用されているのは、このためである。ヘルマンは、一八八七年から一八八八年にかけての一年間、ドイツに一時帰国して、ゲッチンゲンにあった父ルドルフと共に暮らしたのち、ふたたびブラジルに渡り、一八九五年にブラジル国立サンパウロ博物館の館長となった。この回想録が一九一二年五月一五日サンパウロで擱筆された当時も、なお同博物館館長の職にあった。ヘルマンは、一九二〇年ドイツに帰国し一九三〇年二月二四日に八〇歳で没した。

この回想録は、素顔のイェーリングを多面的かつ客観的に叙述していて興味深い。家族による故人の回想録は故人をえてして美化しがちなものであるが、ヘルマンは、会話の叙述にさいして自分のメモ帳を参照しており、父ルドルフの性格的欠点をも報告するなど生物学者にふさわしい科学的な態度を保持しているように見受けられる。もともとドイツ北西部の旧家名門であるイェーリング家は、一六世紀以後法律家を輩出したが、ルドルフの高祖父にあたるコーンリング(Hermann Conring)は、ヘルムシュテット大学教授として法学、政治学の他、自然科学、医学も講じた博学の人であった。ルドルフその人もまた、ギーセン大学の自然科学者たち、たとえば、動物学者ロイカルトや科学者コップらと親しく交わり、彼らと交友を通じて自然科学に対する関心を生涯にわたって持ち続けたのである。『ローマ法の精神』において語られた「自然史的方法」、「法元素」等、イェーリング独自の方法・概念は、自然科学から着想を得たものも多い。もっともその故に後代の学者から「単なる自然科学とのアナロジーだ」との批判も提出されることになったのである。

ヘルマンはこの回想録においてイェーリングの社会主義論、陪審制論、『インド・ヨーロッパ人前史』の有する意義など興味深い報告を述べるとともに、家族の目から見た〈素顔のイェーリング〉の多面的な側面にも言及しており、これらの貴重な証言は、現代における〈イェーリング研究〉に資する点が多々あると思われる。とくにイェーリングが息子に語ったドイツ社会主義をめぐる談話は、彼の社会観を端的に表現したものとして注目されるであろう。

かなりの長文にわたるこの回想録は平易明快なドイツ語で書かれていたので訳者にとって本論の翻訳は楽しい作業であった。

二 〔邦訳〕「ルドルフ・フォン・イェーリングの思い出」（一九一三年）

わが父の思い出、それは私の青年時代に関する限りでは、その最深部において、ドイツの国内闘争を終焉させドイツの新しい権力状態をつくり出した世界史上の出来事と結びついている。すでに外的な諸事情が、大ドイツ主義［の唱えるドイツ統一］の意味においても、否、国際的意味においても、父に影響を与えていた。父は、ハノーヴァー州立大学で学業を終えたのちに官吏になろうとしたが、すでに兄弟の一人が官吏になることを許されていたので拒否された。これは、父にとっても学問にとっても幸運なことであった。もし官吏になっていたならば、後年になって事実上果したような業績を父は学問に対してなしえなかったであろう。父が最初に大学教授の職に就いたのは、外国であるスイス［のバーゼル大学］だったが、私の生まれたのは、当時デンマーク王室のものであったキールだった。一八四九年から一八五一年にかけての年月は、シュレスヴィッヒ＝ホルシュタインに関する政情かまびすしい時代だった。

わが家はこの問題にずいぶん関係があった。それは、キールでの滞在が比較的短かったわが家を通じてというよりも、むしろ、私の母の実家の方を通じてであった。というのは、母方の祖父がシュレスヴィッヒで弁護士をしていたからである。シュレスヴィッヒ＝ホルシュタイン両公国の住民は、ドイツ人たることを自負しており、デンマークからの離脱を望んで陰に陽にたえずデンマーク当局と闘争していた。母方の三人の叔父はデンマーク人と戦い、そのうちの一人はエッカー湾で戦死した。私の祖父自身は、シュレスヴィッヒの事態が危険になったときキールに身を寄せ、私の両親の家にも何ヵ月も滞在した。

私の父も、この事件の渦中に巻きこまれた。父はいつも軍事的手腕というものをきわめて尊敬しており、否、驚嘆さえしていた。けれども、ドイツ小邦分立主義の安逸期における民兵の兵役は嫌悪していたにもかかわらず、今度ばかりはやむなく、一週のうち何回も義勇軍の軍服を着用し銃を肩にさげて練兵場へ行軍することに応じないわけにいかなかった。父は煩わしい兵役の義務を免れようと手を尽くしたが無駄だった。そして、いろんな軋轢から、上司である軍人や軍属と彼との関係は不仲となった。父は軍人たちに屈せざるをえなかったが、忠実な愛犬アツォール

(Azor) に色とりどりの小切れで丸い軍帽と義勇軍の軍服とを作ってやることによって、彼一流のやり方でうさばらしすることを思いついたのであった。そんな訳で仲の良い両親は、家庭で静かにくらしながら、我慢強い家庭の一員たる愛犬を教練することによって、何時間も愉快に過すことができた。父は私にこういう話をしてくれた。「いくら仕込んでやっても、すぐに忘れてしまうんで困るね……。」「ある日、アツォールの奴は、玄関が開いているのを良いことに通りへ逃げ出して、じっさいカーニバル風のきんきらきんを往来で見せびらかしてやろうという気を起こしたんだな。そこで女中が追いかけたんだが、奴こさんは、脱走兵よろしく逃げ足がなかなかに速い。あの可愛い娘が金切り声をあげてつかまえ終えるまでは、いたる所で好奇心や人気や怒りや笑いを買うやらさんざんで、この脱走兵殿をほうほうのていで家へ連れ帰る道すがらも、声をかけられる始末だったんだよ。冗談ももう終わりさ。お堅い一点張りのある筋などはこの事件を聞きつけて、『軍隊上層部はこの無礼千万な侮辱についてイェーリングに釈明を求めるべし』とまで言ったんだ。お父さんも一時はどうなることかと思ったよ――けれども、『犬の奴も休日近くなったんで突然どっかに行きたくなったんでしょうな』と説明して苦情をかわしたという訳さ」と。ある名画家が私の傍にこの愛犬をキャンバスに画いてくれたので、不朽の勇姿が残ったが、私たちの少年時代の我慢強い遊び仲間であった愛犬アツォールの軍服はとても愉快だった。それは、犬によるあてこすりのためというよりはむしろ、いかめしい学者である父が床屋やパン焼職人や何人もの大学生と同じかっこうをして軍事教練に出動せざるをえないということに対する非難がこめられていたからだった。

「海にかこまれたシュレスヴィッヒ＝ホルシュタイン問題」は、一九世紀の五〇年代および六〇年代前半、ギーセンでも取り沙汰されていたのであって、シュレスヴィッヒと行き来が多いことによってたえずこの公国と接触のあったわが家だけの問題ではなかった。興味深いひとつの政治的事件は、一八六四年にシュレスヴィッヒ＝ホルシュタインの委員会がフランクフルト・アム・マインの連邦議会を訪ねる道すがら様々な都市を訪問し、ギーセンにもやってきたということだった。うれしいことに、母の兄弟である叔父ヴェルナー（Werner）もこの委員会の一員だった。そのうえ、私たちギムナジウムの学生は、［対デンマーク戦の］戦費のために募金を集めてみたのだが、集計してみると戦費とは雲泥の差があったので、この金で私たちは、郷里シュレスヴィッヒに帰るクラス担任教師に、一一月［一一日の聖マルチン祭］の贈り物として、この祭日に食べることになっている鵞鳥を一羽買って持ち帰ってもらったものである。待望のアウグステンブルガー（Augustenburger）の代わりにプロシャがシュレスヴィッヒ＝ホルシュタインを支配し始めた時には、ずいぶんがっかりした。けれども、とてもプロシャ嫌いだった美人で可愛い私の叔母ルイーゼ（Luise）がプロシャの士官と結婚した時には、わが家でもほっと安堵の胸をなでおろしたのであった。

そうこうするうちに、ドイツ各州とオーストリアとの関係は緊張の極に達し、一八六六年になるとふたたび戦端が切って落とされた。今度ばかりは戦場がずいぶんと近かった。いや、あまりに間近で、そもそも新聞が戦争の勃発を報道しなくても、私たちが戦場のどまん中にいることは明白だった。六月一六日の早朝、ヴェツラーを守備しているプロシャ軍がギーセンに到着し、しかも当時クラインリンデン（Kleinlinden）に向かう街道の左手にあったわが家のすぐ近くに姿を見せた。父は話をした将校を幾人かわが家で朝食をとるよう招待した。すでにあらかじめわが家の井戸を使うのを父が許していた兵隊たちにも、飲み物やたばこをふるまった。こういう友好的もてなしはすぐ町に伝わり、プロシャに反感をもっていた町の人々は、腹をたてて、わが家やもう一人の大学教授の家の窓に石を投げつけて脅した。当時父がまったく驚嘆していたのは、プロシャ軍が慎重であるとともに土地に通暁していて重要な戦略地点をすべてただちに占領したことだった。わが家の敷地の外側にのびる狭い歩道さえ、占領の憂き目をのがれることができなかった。父が歓待した将校たちは、当時信頼しうる参謀本部地図を開いて戦略地点を父に説明したものである。戦時にはいつでもそうだが、当時のギーセンでも興奮やデマがなかったわけではない。一度などは、バーデン人部隊がギーセンに長期にわたって駐留しているのはギーセンで会戦することになっているからだ、とまで思われたほどである。火砲の砲架はとうにグライベルグで砲列を布くことになっていたが、百姓女ががん丈な車台をじゃがいも用の鍬でこわしたことが判った時などは、世人は喝采したものだ。わが家に舎営したプロシャ軍の将校が食中毒にかかったと思われた時には、わが家でも物議をかもした。しばらくすると、女中がふるまったのは、ライン産のぶどう酒ではなくて医者が母のために処方した薬ビンの冷水だったということが判明した。ある日、父は思いつめた様子で町から帰ってきたが、それは新聞の号外がプロシャ軍の決定的な大敗を報じていたからだった。私の記憶しているところでは、かつて両親がそんなに心配気で憂うつそうな顔つきをしているのを見たことがなかった。けれども数時間経つと、プロシャの敗北ということは誤報だと判った。もしプロシャがオーストリアに負けたのだったら、両親にとってドイツ帝国の再編をめざすという彼らの望みも水泡に帰すはずだった。

父は、ドイツの政治状態はプロシャの指導のもとで完全に改革する必要があると、はっきり認識していた。このことは今日であれば自明と思われるかも知れないが、しかし当時プロシャ以外の国にあってこうした観点をとった愛国者の数は、そう多くはなかった。ビスマルク公爵（Fürst Bismarck）は、父の七〇歳の誕生日のために父にあてた賀状の中で、正当にも父の愛国心を称賛し謝意を表したのであった。僅差で落選の憂き目に終ったが、父はドイツ帝国の政治生活にも関係した。北ドイツ連邦議会の第一回選挙に際して、父は郷里の東フリースランドで立候補に立ったのであるが、約一二票の僅差で対立候補に破れた。父は当時この結果をさかんに残念がっていたが、さらに同年母が亡くなると家政のやりくりを自分でやってみて、やりくりはとんと判らなくて面白くないと私にこぼした。じっさい父は家政を運命の定めと考えていた。というのは、母の死によって事情が変わったので、父は長期にわたってたびたび家を空けることがほとんどできなくなったからである。とにかく長い目で考えてみると、議会生活に身を捧げるのは、父にとって好ましいことではなかった。なぜならば、父はその性向上しきりに著作家としての活動に戻ろうとしていたからである。一八七〇年の夏になると、またしても歴史的な事件が父の生活に直接介入してきた。父は当時ウィーン大学の法学教授だった。父と共に当然その子もオーストリア臣民になっていた。当時私自身はギーセンで勉学していたが、しかし休暇でウィーンを訪問したさい、ウィーンで兵役義務者名簿に記入され、新兵になる宣誓をした。プロイセン＝フランス戦争の勃発によって、五月と六月とにオーストリアで権力を握っていた反プロシャの政党がフランスと提携したとき、私は父に「お父さん自身が私に教えてくださった信念から言っても、オーストリアの軍隊に入隊してわが祖国ドイツと戦うことなどはとても私にはできません」と述べた。父は、私の意見に賛成してくれたばかりではなく、私がプロシャの軍隊に入隊することを許してくれた。この手紙にもとずいて、私はダルムシュタットで戦時志願兵としてヘッセン歩兵連隊に入隊した。私は、こういうことに決心するのがふたつの理由からとても心配だった。ひとつの理由は、私の言い分に父が同意してくれたことにより父の身になにか悪い結果が生じうるのではないかということについて私が懸念したことであり、もうひとつの理由は、一年のうち二度も新兵の宣誓を行いあまつさえ別々の国に宣誓をしたのだという心配が私の心の中に沸々とわき上ってきたことであった。しかし、案ずるより生むは易しだった。ウィーンでは私のとった措置はなにも露顕しなかったし、後になるとドイツ帝国とオーストリアとの間に同盟が締結されたので、私には先見の明があったのだとさえ言うことができた。後に結ばれた同盟のおかげでオーストリアに転籍された兵隊は、たぶん私一人だった。私が新兵の宣誓を両国でしたことについて、ダルムシュタットではなんらおかまいなしで済み、私は軍事教育をほとんど終えたとき、見習い軍医として衛戍病院付きを命じられた。

一八六八年から一八七二年にかけてのウィーン滞在期間は、私の父にとってとりわけ刺激的で楽しみに満ちた歳月であった。春、中部ヨーロッパの各大都市を訪ね町々を比べてみれば、誰しもウィーンに指を屈せざるをえまい。美しい町並みと気持ちの良い環境とをまったく度外視しても、ウィーンには他のどんな大都市にもないウィーン独特の風格があった。ウィーンは城跡にできたおかげで、すばらしい環状都市（Ringanlage）だった。大都市が豊かに与えてくれる楽しみ、とくに音楽の楽しみは、これまで中小都市でしか教壇に立ったことのない父にとって、人生の喜びを高めてくれるという意味を持っていた。そのうえ父は、個人的にも学問的にもとくに懇意だった有力者と活発におつき合いするようになった。これらの人々のなかには、父はいつもすぐれた人だと言っていたウンガー（Unger）とかグラザー（Glaser）というような人たちがいた。父は当時ほど多数で満席の聴講生を持ったことは、後にも先にもなかった。聴講生は大層熱心で、次のようなエピソードを残すほどだった。たばこの煙がもうもうとした講堂で講義するのは、父にとってうんざりだった。そこである日、父は聴講生に対して、「これからは私の講義の前にある休み時間にはたばこをすわないでもらいたい」と頼んだ。翌日になってもこの頼みは果たされなかったので、父は講義をするのをやめてしまって、帰りしなに、「たばこをやめてくれなければ、これからも講義をしない」と、はっきり言ってのけた。そうしたら、もう二度と苦情をいわなくても済むようになった。

こういう恵まれた状態の中で、一八七二年父がゲッチンゲン大学への招聘に応ずることにしたので、私はびっくりした。けれども父は私にこう言った。「ウィーンのような大都会にいたんでは、教職にとって最も大切なライフ・ワークと考えている学問的な仕事や著書を作ることができない」と。転任したことがいろんな点で良かったことは確かだった。大都会ウィーンでだったら一日のほとんどの時間を繁華街や公園や電車の中で過ごさねばならなかったのに田舎町ゲッチンゲンでは気が向きさえすれば、いつでも田園や森をのんびりと散策できたし、ウィーンでは国道筋の高層アパートに住んでいたのに、こちらでは家のぐるりを庭に囲まれた持家の別荘に住むことになった。じっさい、大都会でだったら少数の金持ちしか住めないようなゆったりと広い家屋敷は、大きな魅力だった。ホールの壁には、わが家の先祖を描いた絵を何枚も飾った。先祖の肖像画は、みんな法律家か、さもなければ官吏だった。一階の一番広い間は父の書斎だった。この部屋には両開きの扉をつけて、重苦しい学問の与える感じを和げた。天気の良い日には、丈の高いアカシヤにおおわれた広々としたテラスにあったガラス戸を開け放って、正面の広い庭やマッシュヴィーセンの家並みの向こうに、マイセン低山脈の山並みを望むことができた。

ゲッチンゲンでは、父はかなり規則正しく日常生活を送った。父は真冬でも七時に起床するのが習慣だった。午前中は、学問研究と一一時から一時まで行なう講義の下調べとにあてた。父は昼食にはスープの後でいろいろの付け合わせと一緒に肉料理を一皿だけたいらげ、ライン産かモーゼル産の薄口ぶどう酒を飲み、昼食が済むと、書斎で新聞、雑誌、新刊小説の類を読んだ。ちょっと昼寝したのち再び机に向かうのであるが、しかし大体この時間になると客が訪ねてくることが多かった。その後で散歩をしたが、かなり遠方にまで足を伸ばすことも多かった。晩になると再び家族が食卓に集まったが、父はその後もよく机に向かって書き物をした。私は一八八七年から一八八八年にかけて父と一緒に暮らしたが、その最後の冬に父は家族とともに夜を過ごすのを好んだ。トランプで遊ぶことが多かったが、父は他のトランプ遊びよりも三人でやるスカートというトランプ遊びをするのが好きだった。スカートは、私が父に手ほどきしたものだった。父はスカートにずいぶん熱中したが、他の二人のお相手はそこは心得たもので、トランプ遊びの勝ち負けが父の思いどおりになるよう、ちょうど無線電信のように机の下で合図を送りあっていたのである。もともと父は友達との付き合いではホイストとかボストンというような遊びをするのが好きだったのに、齢七〇歳の父はこういう昔からやってきたトランプ遊びにはあっさりと見向きもしなくなり、たとえ変化に富んではいても実際上はなかなかむずかしいスカートという新しいトランプ遊びに熱中するようになったのを見るのは、私にとっておどろきだった。けれども私はこの点に関してさらにまったく別の経験もした。この点について以下に述べておこう。

社会主義について父と私が立ち入って話し合ったのは、好天に恵まれた一一月の昼下がりの長い散歩の途中だった。この会話は父に対する私の思い出に深い感銘をあたえたものであり、実際私は散歩が終わるとすぐにこの会話をノートに書き留めたのであった。私が父にベーベル（Be-

bel）の著書『婦人と社会主義』（Die Frau und der Sozialismus）を読んだことを打ち明けたおかげで、私たちは社会主義をテーマに話し合うことになった。私は父にこう打ち明けた。「ぼくは社会主義についてもっとよく知りたくなり、この独創的な本を通じて現代社会主義運動の真の目的を知りたいと思いました。」そして私は父に言った。「けれどもベーベルの本はぼくにとってずいぶん失望を感じさせる本でした。というのは、批判的な面ばかりが目について建設的な面が弱く、いやむしろ、子供っぽくて素朴であるようにさえぼくには思えるからなんです」と。

父はこう答えた。「なるほどお前の言っていることは正しい。だがね、そういう類のことは重視しすぎてもいけないということを考えてみなくてはいけないよ。ベーベルは学者ではない。庶民出の人だ。だから、ベーベルが複雑な経済的諸問題をはっきりと洞察して、こうした問題を再構成するために目的にかなった提案をなしうるなどと期待することはできない。いや、それどころか、彼は煽動家、ドイツ社会民主党の指導者、アジテーターだから、そういうことは彼にとってまったく思いもよらぬことなのだ。現段階の社会民主主義は揺籃期にあり、たぶん未成熟な発展段階にあるといっても良いだろう。この種の不安な時代は、もっと安定した時代を追い求めるのが世の習いなんだよ。現代の指導者が引退した後には、積極的で実りある仕事に着手する心積りを持った別の指導者が現われるだろう。そうなれば、きわめて思慮に富んだ新しい指導者の共感を呼ぶことになるだろう。とくに私にとって生涯最大の満足のひとつは、私が大いに尊敬しているヴィルヘルム前ドイツ皇帝（Alter Kaiser Wilhelm）が社会政策の分野でも革新運動を始め幸福に至る路を切り開いてくれたということなのだ。」

私は反論した。「お父さんはそうおっしゃるけれども、労働者の側からすれば、そういうことについて少しも感謝されていないではありませんか」と。すると父はこう答えた。

「そのとおりだ。けれども、まさしく今言ったように、現代こそ政党の疾風怒濤時代なんだよ。ひょっとしたら、現在のところかなり一方的に労働者のためにのみ活動している集団のなかから、熟考を経て明確な綱領をもち巧みに組織された政党が生まれるかも知れない。しかし、ことわざに『およそ物には自ら限度あり』(Immer……ist dafür gesorgt, dass die Bäume nicht in den Himmel wachsen) と言うではないか。どんな支配でも、それは願望と可能性との間で相互に闘争し合っているいろんな志向が妥協したものにすぎない。たとえばドイツ社会民主党がドイツ帝国議会において有力な大政党になったとしてごらん。もしそうなれば、社会民主党はいろんな志向を実際に果たすということに意をくだくことになるだろう。けれどもそういうことは、多かれ少なかれ、近い立場に立っている他党の支持を取りつけることができなかったら、うまく行かないものだ。だから妥協もしなくてはならない。かてて加えて政党が長続きすることを欲するなら、一階級の利益を主張するだけではなくて他階級の利益をも顧慮せざるをえないという事情もある。結局のところ、資本主義にたいする極端な対抗手段によってドイツから大資本を駆逐し、大資本の商工業を打倒するということを考慮しなければならない。ひとえに国際的な協調がありさえすれば、そういう根本的な変革も行えるだろう。しかし、そうなったにしても再び相反する利益が衝突し合うことになる。こういう考察からも判るように、またしてもさっき言ったのと同じ結論に達することになる。つまり、暴力革命によるのであれば何も得ることはできず、むしろ、ドイツですでに成功を見ている漸新的な改革という方法が正しい策なのだよ。」

私はこう言った。「そうおっしゃる所からみると全体としてお父さんは社会主義の宣伝を好意的に受けとめておられるわけですね。」父はうなずいてらさらに語を継いだ。「私は、現代社会主義が払っているいろんな努力の中には私たちの暮らしている家族生活、現代生活、現代文化、宗教、君主制と矛盾するものは何もないと考えているんだよ。ただし、社会主義には絶対的目標つまり合目的的性というものがある。この合目的的性という目標は、将来になれば個々に実現されるかも知れないが、現在のところではまったく度外視されている。けれども現状の変革は、資本主義の打倒にあるというよりはむしろ労働者階級の社会的諸条件を高めることにかかっている、と私は思う。財産を単に悪いものとばかり考えてはいけない。財産は国民大衆にとって多くの富を作り出すものでもあるのだよ。」

私はこう言った。「けれども、そうだったら、所有権つまり法的な側面についてはどうなんでしょう。所有権を認めるとすれば、たぶん社会主義理論の実現にさいして桎梏を与えることになるでしょう。」

父はこう答えた。「いや、けっしてそんなことはないよ。所有権、占有、売買、相続、これらはみな立法によって確立された概念なんだ。だからその根底に何か永遠なものとか不変なものとかが何ひとつあるわけではないんだ。どんな民族、どんな時代でも、法関係についての考え方は多種多様なのだよ。人格の独立など思いもよらなかった奴隷制を考えてみただけでも、このことは判るだろう。けれども、現代社会も広い範囲にわたって強制を文明国の市民に及ぼしている。人格の絶対的自由などというものは、詩の中や、お前のいた美しいブラジルの未開人とかに存在しているだけなのだ。近代文明国は未開人のような怠け者を必要としない。州が国民に広く自由を与えれば他州の国民と競争することになろう。現代文明が欲しているのは個人の自由ではなくて、個人の制限、強者に対する弱者の保護、万人に対する等しい権利、等しい保護なのだ。こういう意味では、もっと多くのことを上下のへだてなく行わなければならない。世間の人々は資本主義の発達を抑制することはできず、驚くべき完成の域に達した機械を家内工業の利益を守るために非難することさえできない。なるほど、租税公課の配分を適切にし相続税を累進課税にすれば、多くの不公平を減じることはできよう。けれども、問題となっているのは両刃の剣であるという点をよくよく考えてみる必要がある。まず最初に言えるのは、大土地所有制をなくし、現所有地の最大限度を確定し、大土地所有をやめて、代わりに各々自由な農民多数の内地移住をもってすることに努めるということである。所有制の全発展には未解決の問題がひとつだけある。それは、財産と租税公課とをできるだけ適切に配分した上で現代文明を維持し発展することなのだ。」

父とこのように話し合ったことほど、鮮やかに心に焼き付いていることは他にない。私は、法の研究に全生涯を捧げた父にとって、所有権とか占有とか遺産などという概念は、たとえば生物学でいう遺伝とか変異とか適応などという概念と同じなんだ、と思い違いをしていた。父が一九世紀中葉の人間であるにもかかわらず時代を乗り越えたのだということが、やっと私に判ったのであった。父は、法概念を不変なものとは考えず、目にも文なる旗を掲げ色とりどりの装いをこらしめたものに他ならないと考えたのであり、法概念は、時代を追って移り行く社会組織の欲求に従って変り行くのであり、承認することも否定することも、改革することも変更することも、変幻自在なものとみなしたのである。

父と私とは別の機会に陪審制についても話し合った。ブラジルでの経験から何故私が陪審制を支持できないかについて、私は父に説明した。「主としてブラジルや名もない辺地の貧乏人は、政治権力の掌握者や土地所有者に隷属しているんです。貧乏人は借金して食っているか、かろうじて自分の持家に住んでいるかのどちらかなのです。場合によっては近隣の金持ちが、貧乏人に農園を分けてやったり、貧乏人が金持ちの森林で木材を伐採したり牧場に家畜を入れたりするのを許してやったりしています。貧乏人の甥が兵隊にとられることになっていて女房の兄貴がけんかのために監獄にぶち込まれているとするならば、この貧乏人は租税を納付できません。そういう時に貧乏人が使う手は、有力者である黒幕（Mandachuva）にとりなしを頼むというやり方なんです。一切万事が有力者の腹ひとつに懸っており、他方では警察組織も有力者の口ききひとつで任命される始末です。ですからこういう特殊な権力事情が裁判所の審理にさえ反映されるのです。強盗殺人犯が『正当防衛』からそうすることができたという理由によって、無罪を言い渡されることだって珍しくないのですよ。」父はこの点に関してこう言った。「そういう家長的な事情と欠陥とは、その性質上人口密度が増大し文明が発展するにつれて影が薄くなって行くものだ。しかしドイツでも陪審制の審理に際してはその制度の趣旨と目的とに反することが起こっている。」「だから」と父は言葉を継いだ。「被告人の方は事実問題を否認していないのに陪審員の方がそれを否認するという陪審審理が、何件でもここ数年間におきているのだ。そういう審理において問題となるのは、国民の代表者たる陪審員の信念が法律の規定と矛盾しているということだ。たとえば、自分の名誉をはなはだしく侵害された被侮辱者が決闘にさいして相手方たる侮辱者を殺傷するという事件がずいぶん起きた。法律によれば彼を処罰しなければならないのに、陪審員の感じ方は彼の味方だった。その理由は、彼に不法が加えられたのであり、かかる事情や友人同僚の中でふつう行われている考え方により彼はまさしく止むなく決闘をしたのだという感じ方にあった。彼を無罪にしうるためには、被告人の罪に関して陪審員に対して求められた審問の答申を歪曲するしか手はなかった。こういうことは純人間的観点からするならば判らぬでもないが、しかし、法律家としてならば法律を公然と軽視するようなことを看過することはできない。だから私も陪審制になんら賛成する者でもなければこれを擁護する者でもないのだよ。もし世論が、素人の請求陪審事件参加がどうしても必要だと言い張るのならば、常任ないし職業的な参審員をある程度加味した参審制が、それ自体としては最も良いのではないかと私には思われる。それと同時に、もし参審制を採るということになれば、参審員が公益に奉仕するということの代償として、妥当な金銭的報酬を与えるべしという考えにもとづくことになろう。こういう参審員は時間が経つにつれていろいろと経験を積んで裁判に通じていくことになろうが、しかし、参審員はまさしくその能力から言って、いつも裁判官にのみ従属する第二位ないし第三位にとどまるだろう。法律家である私たちにとって判決言い渡しを改善するための理想としては、問題となっている手段である立法を深めていくしか手はないと思う。もし、実際上一定の事件において国民の法意識と法文との間に矛盾が生じているのならば、法文は役に立っておらず、否、きわめて有害であるということになるのだから、他ならぬ法文をこそ改正すべきなのだ。多くの事件において、今後ますます重要となってくると思われる裁判官の人間的心情に対して、判決にかかわるもっと広い活動の余地を与えざるをえまい。近時ずいぶん行われているように微罪を厳罰に処することは、もはや国民の法意識になんら適合するものではいということをとくに配慮すべきであろう。私の考えによれば、このためには刑法典を改正しなければならない。」

父が高齢に達するまで大いに潑剌たる精神を保ったということは、一八八四年私が父を激励した『インド・ヨーロッパ人前史』(Vorgeschichte der Indoeuropäer)の仕事からもあらためて知ることができた。父の書斎は、父が熱心に勉強したサンスクリット語やインド・ゲルマン文化に関する本で一杯だった。父は私にこう言った。「もちろん、私は趣味ゆえに自分にとって新しい研究分野に取りかかろうと思いついたんではないよ。古代ローマ法をその端緒にまで遡って探究したのち、さらに古代ローマ法を越えてローマ法前史をも研究することを、止むに止まれぬ必要と感じているのであり、そうだからこそ、私は古インド・ゲルマン人の文化圏を調べているんだよ。最古の時代には成文法は存在しなかった。それにもかかわらず、もっぱら当時の家族生活と社会生活とを詳しく調べしかもこれらを法哲学者としての見地から解明してみると、法に関する概念の存在したことをある程度立証できるんだ。だから、自分が必要としている基礎資料は、自分自身で集めるしか仕方ないのだ。私が今追求しているのは、このことさ。」父はさらに何年もこの問題に取り組み続けたのであるが、しかし父の死後に遺著として出版された同書『インド・ヨーロッパ人前史』については、何らの批評も加えられずに黙殺されたままとなっている——これはひどい話だと私は思う。特に指摘されたことと言えば、父が資料として利用した文献の一部はすでに覆されており、結論がまちがっているということだった。こういうことはとりわけ古代経済生活の端緒についてあてはまるとも言われた。今日多くの学者は狩猟民、遊牧民、農耕民という旧式の分類を認めておらず、特にヘーン（Hehn）はこういう旧式の分類法を大いに批判した。けれども、そもそも正確な知識による明確な背景を欠いているこういうヘーンの議論は危険であり、とくに牧畜と農耕の始まりについてはまったく危険だといえる。ヘーンの諸著は私に多くの刺激を与えてくれたが、ヘーン自身は牧畜を穀物栽培の前提条件だと考えていた。ヘーンはこの点において正しくもあり間違ってもいた。というのは、アメリカでは旧農耕において鋤とか役畜とかは全然使用しなかったし、おそらく、古代世界の場合にもかつては同じ状態だったということは十分ありうることと想像できるからである。ヘーンは家畜を飼い馴らすことを論証抜きの神秘的なやり方で解釈している。ヘーンによれば牛はその角の形状から半月を想起させ夜にまたたく聖なる星の崇拝に向いていることになるから、原始人は当初もっぱら牛だけを飼い馴らしたのであろうと解されている。その後になって初めて原始人は牛の多種多様な有用性を発見し利用するようになったのだと、ヘーンは考えている。父の見方はこういう観念的な思考と無縁である。父の考えによれば、文化生活の最初の端緒は、自然の猛威とか各種の敵とか不可欠な食料獲得のためのあらゆる艱難とかの峻烈な闘争である。文化発展のこういう原始的段階において家畜の飼い馴らしと飼育とが現われると、もっぱら実際上の効用および飼育の結果期待できる儲けが目標となったのである。

私は今回あらためて『インド・ヨーロッパ人前史』を読み返してみて、未開民族の原始文化と古代史の自然科学的・人類学的研究を手引きとした手堅い基本思想が同書に述べられていることが判ったのである。

もし私がこの点について本小論でさらに立ち入って論じるならば、もと父と同僚だった人*が最近になって父に浴せている物好き（Dilettantismus）という辛辣な非難を、私も特に受けることになろう。

＊　訳者の推測するところによれば、ここで暗示されている人物は、ヨゼフ・コーラー（Josef Kohler）である。なぜならば、イェーリングを酷評し続けたコーラーは、『法における目的』を「フリージアの

田舎牧師の形而上学」と断定し、「こうした考察方法全体は歴史をすっかり変えてしまい徹頭徹尾歴史を誤解するものである。それゆえ、このように道徳を導き出すことは何の役にも立たないのであるから、習俗の考察は民族学による十分な裏づけを欠くことになり、したがってディレッタントでありかつ物の役にも立たない。(dilettantisch und unbrauchbar)」と述べているからである。(J. Kohler, Rechtsphilosophie und Universalrechtsgeschichte, in: Enzyklopädie der Rechtswissenschaft, 1. Band, 1904, S. 12 ただし F. Buchwald, Zur Einführung, in: Der Geist des Rechts, Bremen 1965, S. XLIII より重引)ちなみに、コーラーはイェーリングの推薦によって学者生活に入ったが、のち両者は感情的にも鋭く対立するようになった(詳細については、下記を参照されたい。勝本正晃『文藝と法律』二六三頁以下)〔訳者注〕。

もっとも事は、ひとえに物好きという言葉で何を意味しようとしているかということ次第である。もし物好きという言葉が専門外の分野にも独自の知識を持っていることをおせっかいなこととして非難する意味であるのならば、総合とか比較対照を事とする広汎な知的作業にはすべて拠り所がないことになり、哲学についてはまったく沈黙を守るべしということになる。これは馬鹿げた話ではないか。物好きな人達(Dilettanten)の心持ちには、もともとスポーツマンのような所があり、軽佻浮薄な態度がつきまとうことが多く、そういう人達の場合には、やりたいという事とできるという事との間に実際上ずいぶん開きがあることが多いものである。会話に際して私が時々自分自身の感じ方から父の言ったことに反論しても、父がそれを悪く取るということはなかった。一度などそういう議論をして父の方がかぶとを脱いだことさえあった。国家は不当な有罪判決を受けたと思われる人や、たんに未決拘留に処せられたにすぎないと思われる人にも、妥当な金銭賠償をすべきだという立場を私は主張した。原則的にいって父はこういう立場に断固として反対した。というのは、裁判所は持てる知識と良心とを駆使して人格を顧みることなく嫌疑ある点をすべて追求する権利のみならず、義務をも有しているからだというわけだった。けれども私は父に次のように反論した。「そういう事情のもとでは裁判所は貧しい状態で暮らしている人やその家族全員を苦しい艱難辛苦や明白な窮状へと追いやることがありえます。国家に十分ふさわしいのは、国家が心ならずも与えてしまったそういう傷を癒してやることですし、そうすることが公正な要件なのだと認めねばなりません。けれども、こういう要求について、国家は実に多額の財政的な犠牲を必要とすることもありうるということを懸念しています。しかし、こういう危惧は根拠のないものだということがすでに立証されているように思われます。というのは、ドイツ諸州ですでに次々とこういう分野における重要な発明発見がなされてきたからです。――純粋に自然科学の生み出した物質でさえも十分生活の維持に役立つ物になり変っていることが多いではありませんか」と。事情によって論陣が不利な形勢になってくると、私は専門的な研究を要しない書物を博物学、人類学、地理学などに限って挙げ、防戦にこれつとめたが、父の方はどちらかというと歴史的な問題、文学、往復書簡、回想録などを援用した。けれども、父は自然科学上の諸問題に対してもきわめて旺盛な関心を示した。父がギーセンにいたころ、父の親友の中には、ロイカルト[*]（Leuckart）、ブフ（Buff）、コップ[**]（Kopp）といった優れた自然科学者がいた。父の友人たちは、毎週一度トランプのホイスト遊びをして夕べを過ごすために、家を取りかえて集った。トランプに興じるのは夜七時から九時までだった。チョンボをして座の沸くことがずいぶん多かった。家ではふだん、つつましいながらも献立を良く吟味した夕食をとった後、父は眠りについたが、会話がはずんだり気分が良い時にはさらに二、三時間夜更かしした。

＊　ロイカルト（Karl Georg Friedrich Rudolph Leuckart, 1822—1898）は、動物学者で近代寄生動物学・動物生態学の開拓者、ギーセン大学には一八五〇年から二〇年間在職し、のちライプチッヒ大学教授［訳者注］。

＊＊　コップ（Hermann Franz Moritz Kopp, 1817—1892）は、科学者で分子熱に関する「ノイマン・コップの法則」の発見者、リービヒの後任としてギーセン大学には一八四三年から二一年間在職し、のちハイデルベルグ大学教授［訳者注］。

さらに当時の雑談で受けた刺激から、父たちは自然科学に興味を持ち、一八六〇年には物理科学の問題と気象学とに関するコップ（Kopp）の講演を聴きに行ったりした。

父が格別の関心をもって研究したのは、ダーウィン進化論（Darwinistische Lehre）の展開だった。父は進化論（Deszendenzlehre）と、ダーウィニズムによる進化論の基礎づけすなわち自然淘汰説との違いについて私と話し合うのが好きだった。当時私はまだ自然淘汰説について良く知らなかった。種の形成という問題に関して競い合っているいろんな見解の中で、私は父にもっと詳しく自然淘汰説について知ってもらおうとして、クラウス*（Claus）の書いた『生物学教科書』（Lehrbuch der Zoologie）の中の非常にうまく書けている当該の章を一八八八年に父に示したことがある。父は何度もくり返してこう確言した。「今日、生物学を支配している進化の思想は、ダーウィンの著書が出版されるよりも前から私自身が思い付いていたものであり、この進化の思想こそ、私が私なりに特殊な学問傾向を持つに至る手引きとなったものである」と。

＊　クラウス（Karl Friedrich Wilhelm Claus, 1835—1899）は、ドイツの動物学者で淘汰論に反対して機能的適応を主張したラマルク説に接近した。イェーリングの読んだ Lehrbuch der Zoologie は一八八〇年に出版された〔訳者注〕。

普通選挙法の実施を別にすれば、父がドイツ国内の政治生活に関与したことは特になかった。私は選挙法に関する会話を記憶しているが、この会話には感銘を受けた。問題となっていたのは、ドイツ帝国憲法に普通選挙法を導入することだった。父は言った。「これは民主主義を大いに認めることになると思う。これによってビスマルクが多くの要求をかなえ新しい政治をはじめることに対して強力な共感を得たことは、たしかだ。けれども私の考えるところによれば、その場合重要なのはビスマルク自身のさらに優れた信念が人々に認められることである。しかるに、多種多様な選挙人の精神的・道徳的な資質にはまさしく大きな差がある。そもそも、アイヒスフェルトの農民の脳裏には村の牧師から聞いた立場以外にさらに十分に計算しつくした別の立場があろうとは思えないし、社会主義的な工場労働者には煽動者のアジ演説から真偽を分別する能力のあろうはずがないし、さらに、最近になってはじめてポーランドから移住してきて定住するようになった農業労働者にはドイツのために働こうとするつもりなどさらさらない。これに対して知識階層には公益のために尽す能力や意志のあることを否定できない。知識階層の意見を他の階層の意見よりも高く評価すべき理由は、社会的地位が高いからでもなければ国家財政に支払う納付金額が多額であるからでもなくて、むしろ、知的階層がその生活全体によって国家の歴史と密接に結びついているからであり、国家の欲求と歴史とからすれば知識階層こそその志向上期待される人々であるからだよ。あらゆる要求に応じる選挙法なんて多分ありえないだろう――理想的な選挙方法とは、世論をあてにするばかりではなくて世論に迫るものがなくてはならないだろう。」

私は父の人となりに立ち帰ってもっと詳しく論じることなしに、この回想録を終えることはできない。父は三度結婚した。三度とも幸福な結婚生活だった。私の継母が誇りやかな満足をもって秘蔵している一通の手紙の中で、父はこう述べている。「私が妻たちからおしみなく受けた愛情こそ至福なるものであり、私に成功と楽しみに満ちた生活とを与えてくれたゆえんだ」と。清らかな愛から結ばれた父の最初の結婚生活は、回想しうるのはひたすら悲哀一色の短期間に終った牧歌であった。私の母と結ばれた再婚から子供ができた。母はやさしく気高い心を持った女性で、父の友人たちから尊敬されていた。キールにおける短期間の滞在を除けば父母は結婚生活を大層快適だったヘッセン州立ギーセン大学で過した。ギーセンに居た頃は、刺激に満ちた年月だったが、ずいぶん政情不安な時代でもあった。母は政情に関する生々しい印象を日記帳に書き残している。つき合いが多くなり家族も増え時々旅行したりして物入りが多くなると、やりくりも大変になり母はおおわらわだったから、おそらく赤字になったこともあろう。しかしそんな時でも食うには事欠かないということは、両親にとって幸せなことだった。

親しい家とは家族ぐるみで陽気で伸びやかに付き合うのが習いだった。客間にはたいてい客が来ていた。家庭生活の中で重要な役割を演じたのは音楽だった。父自身がピアノの名手だったばかりではなくて、夕べになると定期的に室内楽を演奏した。父はギーセン大学音楽協会に新しい刺激を与え、これを指導することさえ引き受けた。父はたくさんの旧習を改善した。たとえば、当時三弦で演奏するのが習慣だった優秀なコントラバスの演奏者をずいぶん苦労して説得したあげく、使っていなかった第四弦を再度彼のコントラバスに張らせるのに成功したりした。父がとくに重視したのは、音楽家や有名な名手たちに演奏会で出演してもらうことだった。こういう音楽家たちは、たとえこんな小都市での出演により謝礼の点で裕福な大都市に比べて引き合わなくても、好意あふれるギーセンから受けると、喜んで引き受けてくれた。ついに父は、みやびやかに取り行なわれるルードヴィッヒ・シュポール（Ludwig Spohr）誕生百年記念音楽祭のような大層むつかしい企画をも引き受けられるようになった。これとともに、上記のように、親しい友人たちが毎週ホイスト遊びで夕べを楽しむために集まってきた。同僚たちは、広い範囲にわたってこの特別な集いに集まってきた。ここでは学問もお付き合いのうちだった。父はこの集まりに加わることを通じて、法実務家といつも接触していた。けれどもこんなにいろいろと時間を割いていても、学問の精神がおろそかになることはなかった。ほかならぬギーセン時代に、父は主著『種々の発展段階におけるローマ法の精神』(Geist des Römischen Rechts auf den verschiedenen Stufen seiner Entwicklung) の著述を行なったのである。父は夜、大学秘書官であるシェッファー (Schäffer) に同書を章別に口述筆記してもらうことを喜んでいた。父がこの気持ちの良い協力者を珍重していたのは、お定まりの援助をしてくれたりきれいな清書をしてくれるからだけではなくて、この人が父の述べる所を十分理解しながら口述してくれ、適当な言い回しを探しあぐねていると、彼の方からふさわしい意見を述べてくれることによって父を喜ばせてくれるからでもあった。後年になると、父はもう二度と口述筆記はやらなかった。そのかわり、継母の如才ない助力を好んで受けた。父がすばやく書き留めたり、いろんな棒線を引いて校正したり、差し替えや貼り合わせによって読みにくくなった原稿を、継母はきれいな筆蹟で写した。同書の執筆期間中父はつねに自分自身に厳しく、印刷中でさえ文章にかなりの修正を加えることがずいぶん多かった。父は私にこう言った。「私はこの最大の著書をして自分の経験と思想とを述べる体裁にするんだ。思想を明快かつわかりやすく言い表わせば言い表わすほど、思想はたやすく読み手の脳裏にこびりつくからね。」

特にかんしゃくを起こしたり無理なことを言ったりするのが珍しくなかった父の激しやすい気質を考慮すれば、こういう事情のもとで母の立場がむつかしかったということは想像にかたくない。しかし母は聡明で心の落ち着きをすぐに取り戻せるおだやかな気性の持ち主だった。母は弁解したり怒ってくどくど言ったりする代わりに、父の心を静め徐々に別の着想を思いつかせようと努めた。母がいったんこうした方が適当だと思ったときには、日を改めて、父が怒ったことなどもうほとんど忘れてしまった頃合いを見て、母なりの見方で考えたことを父に話した。すると父はこういう巧みな配慮に感謝するといったあんばいだった。私自身の生涯においても、こういううるわしくも又たゆまざる母の振舞いにどれほど感謝しなければならなかったことであろうか。——実際多くの結婚生活において、実直で相互に愛し合っている人々でさえ激しく衝突することは世上ままあることであるが、妻の方が適当な時に沈黙するか余りがみがみ言わぬ術さえ心得ているなら、安らぎと睦まじさとは微動だにすることはなかろう。若い頃母と懇意だったわが家の年来の友人である一人の婦人が、先頃私にお手紙を下さってこう述べておられる。「あなた様の母上ほど気高い心の方、ひときわ優れた女性らしいお人柄の方にお会いしたことは、私の長い生涯においてありませんわ」と。……愚鈍な人々であったならば長々と家庭の平安をかき乱したことであろう諸々の出来事を、両親は聡明な心と愛情とでユーモアの彼方へとじきに笑いとばしてしまった。そういう些細な出来事を私たち子供はまざまざと覚えている。美しい夏の日の事だった。私たちは庭にあるみごとなトチの木の木陰で食事をしていた。そこでみごとな子牛の焼肉が食卓に載せられた。それはすでに数日前から食事時の呼び物（Piéce de résistance）だったのだが、夏の暑気を考慮してせっかちな父に試食をしてもらうことになった。父は一口食べてみて吐き出してしまい、大皿に入っていた料理ごと焼肉を近くの植込みの中に投げ捨てた。私たちは狼狽し食事を中断した。——母が「あとでおいしいもの（corpus delicti）をあげますからね」と声をかけてくれたけれども、我々子供たちは、まだ、手付かずで残っていた焼肉入りの皿をかくした。母自身不愉快だったのだが、彼女はこの場を手ぎわよくさばいてくれ、結局子どもたちには楽しいことになった。私たちは、おいしいお菓子の一杯詰った大きな桜の樹でできた王冠の入れ物に入ったデザートを父からもらうや否や、全員また元のように陽気にはしゃぐようになったのであった。

わが家の社交生活がずいぶん広がってくると、これは当然にも地下室の酒倉に反作用を及ぼした。父はいつも酒倉に気をつかっていた。一度などは、極上のライン産ぶどう酒を詰めた酒びんを一杯棚に並べたために、自重で棚がへたばってしまい、残念にも酒びんが地面にぶちまけられたことがあった。それは心痛すべき大災厄だった。——ある年の聖霊降臨祭のころ、両親はラインへハイキングに出かけた。父はラインのブドウ園主の酒倉で、とくに父の口にあったテーブル・ワインを一樽ごと買い込んだ。帰宅して父は私たちにこう言った。「さあて、ぶどう酒は一杯あるぞ。子の代ばかりか孫の代まで間に合うぞ！」と。飲み心地の良いジンメルディンガーという名のぶどう酒を詰め込んだ怪物のような大樽が実際に家へ届いてみると、樽の寸法があまりにでかすぎて酒倉の出入口を通らぬのであった。職人に来てもらって、酒倉の出入口の側壁をぶち破らなければならなかった。——孫の代まで飲めるはずが、五年の後にはもはや一しずくも残らなかった。

ゲッチンゲンに居た頃、いつか別の時に、洪水で地下室の床に浸水したことがあった。友人たちは、「君の酒倉が水びたしだぞ」と父をからかった。しかし、その後間もなく父は名誉を挽回した。つまり、これ見よがしに酒盛りを開くことによって、自分の酒倉の良い評判をいやが上にも高めたのである。そういう折りに面白い乾杯の辞で発揮した父のユーモアは、まことに面目躍如たるものがあった。父のユーモアは、多く書き留めておくに値するほどだった。マインツで開かれた法律家大会で、父が御婦人連中に述べた祝詞はこうだった。「マインツを色どる沢山の花のように優雅でお美しい御婦人方は、ドイツ帝国のまことにこよなきお宝であります。しかればこそ、わがドイツ帝国は、このお宝を守り抜くためには要塞を築城するも止むなしと考えたのでございます。」――父がゲッチンゲン大学を代表してオランダのライデン大学創立［三］百年記念祭に出席した折、オランダの代表者が父に、招かれた都市を代表して乾杯の辞をお願いしたいと頼んだ。父は、友誼あふるるライデン市のもてなしに対して然るべき謝辞を述べた後、シャンペンのびんを高々とかかげて参加者にこう呼びかけた。「蓄電池として使われているこの市特産のライデンびんは、世界のいたる所、赤子でさえも知っておりまする」と。――これで聴衆はどっときた。

父がユーモアによって他人を沸かすことはよくあったことである。父自身の日常生活においても、多くの不愉快な場面をユーモアで笑い飛ばした。父は信頼できる酒屋と手堅く契約しており、ぶどう酒のセールスマンに注文することはまったくなかったので、ゲッチンゲンでセールスマンたちが家へ押しかけてくるのは、父にとってずいぶん煩しいことだった。さて件のセールスマン氏が父の書斎に顔を出すと、父はまずのっけに真顔でこう聞いた。「あんたがしている商売というのは、本当に混りっ気のない純粋なぶどう酒を売ることかね。」こう聞かれると、セールスマンとしては、「私どもがお売りしているのは絶対に純粋なぶどう酒だけでございます。」と言い切ってうなずくしかなかった。父はこう言い返した。「そいつは残念だね。あんたからは買えないんだ。というのはね、わが家のお客さんたちは混ぜ物をしたやつを飲むのが習慣なんで、純粋なぶどう酒はまったく及びじゃあないんだ。お客さんたちは、混ぜ物をした方をありがたがっているんでね。」セールスマンは、ちょっとためらい勝ちにこう言った。「なるほどそういうことでございましたら、手前どもは混ぜ物をしたぶどう酒もお売りできるんですが」と。すると父は怒ってこう言った。「なんだって！　君は混ぜ物をしたぶどう酒を売っているのを自分から認めているじゃあないか——出て行きたまえ。」ある時、父はにこにこして私たちの所へやってきて、こう言った。「今度もセールスマンをうまいこと追い返してやったよ。奴っこさんは多分ここ当分もう二度と来やしないよ。私はつんぼのようなふりをしてやったんだ。奴っこさんがごちゃごちゃ言うもんだから、君が聴講届けを出したいのは演習の方かね、それとも、学説彙纂に関する講義の方かねと聞いてやったんだ。勘ちがいのふりをしたままちょっとの間話をしてから聴講生名簿を出してペンを差し出してやったんだ。すると奴っこさん、尻に火がついたように逃げ出して行ったよ。」そういう場合、冗談が首尾よく行ったことを後からうれしがって、父は両手をすり合わせていた。うれしい時に両手をこすり合わすのは、父の癖だった。

こういうユーモアたっぷりの素質が法律学の講義や著作においてもどれほど力を発揮したかということは、父の諸著作をよく知っておられる方には判ることである。こういう点に関してならば諸著作のうちでも特に『法学戯論』（Scherz und Ernst in der Jurisprudenz）を挙げることができる。就中、こういう素質は演習にも役立った。父の行なった演習は、判例研究の方式（Unterrichtsform）によるものだったが、こういう演習方式をドイツの法学教育科目において実施したのは、私の知る限りでは父が最初の人だった。父は私にこう話してくれた。「聴講の学生諸君に日常生活に題材を取った珍しい事例や面白い態様を挙げてその法的側面を解明してやると、そういう事例とその判決とが学生の脳裏に長く記憶されるんだ。従来行なわれているようなAとBとを対質させて争点を論じ合うやり方よりも、そういう風に教えた方が、ずっと良く学生の頭に入るのだ」と。事実、往年学生として父の指導を受けた何人もの人々が口をそろえて父の考え方をすばらしいと言ってくれた。私自身も、喜んで父の演習を臨時聴講したことがあった。

最後に、父の性分と父が先祖から受け継いだ性格的特徴とを比較してみることは、大いに興味津々なことである。イェーリング家は、ドイツ北西部の旧家名門のひとつである。イェーリング家の家系図は、ゆうに一四七三年にまで遡る。一五二二年に生まれたセバスチャン・イェーリング（Sebastian Jhering）以降、父の直系の先祖は、全員法律家かさもなければ官房学者（Kameralisten）である。セバスチャン・イェーリングよりも前の代については、詳しいことは判らない。けれども、当時ザクセンに住んでいたわが家の先祖の一人は、皇帝フリードリッヒⅢ世から帝領伯（Pfalzgrafen）の爵位を賜っており、この先祖も高位高官として生涯を送った一人であった。もちろん、父の直系の先祖は四・五百年この方全員法律職と行政職に就いてきた。こうした家柄こそ、我々が知っている限りにおいて、性格の強固なイェーリング家の人々に、職業とならんでいろいろな仕方においてではあるが、公益に身を献げさせたゆえんである。先祖のうち若干名は、法学や歴史学の論文を物している。イェーリング家の中で一番はっきりと記憶されているのは、私の曽祖父カスパー・ルドルフ・イェーリング（Caspar Rudolf Jhering）である。曽祖父はフィスキ（Fisci）の弁護士で、一般にはもっぱら「フィスキのぬし」（alte Fiskus）というあだ名で呼ばれていた。わが父の確信するところによれば、私のこの曽祖父こそ先祖の中で一番の出来物だった。曽祖父はイェーリング沼と呼ばれていた沼沢池の干拓者でもあった。イェーリング沼は、東フリースランドにあるイェーリング家の家産のひとつだった。曽祖父は、荒涼たる沼池から泥炭を採掘したり用水路を切り開いたりして、花咲く干拓地を沢山つくった。さらに曽祖父は、東フリースランド製粉火災保険組合を創立した。この保険企業は幸運にも繁昌した。この組合こそ、火災による損害に対して当時はじめて創設された保険協会の中で最初の先駆になったもののひとつだった。父の才能がこの父の祖父に負うこと大なるものがあるということは、おそらく疑いを容れぬところである。そしてさらに、両人に共通の特徴は、父も曽祖父も食道楽だったという点でも一致している。父はおおむね質素に控え目に暮らしたがしかしこと美食にかけてはたいがいの他の人よりもこれを重視した。たとえば父の七〇歳の誕生日の祝宴を行なった日に、ハンブルグに注文したえび料理が定刻通りに届かなかったとき、ようやく間に合いはしたものの、父は心置くところを知らずといった具合だった。父がとくに喜んだのは、親友を招待した席で珍味を楽しむということだった。以前ギーセンにいたころ、父はよく肥えたシギを二羽もらい夕べに親友たちに御馳走したことがある。シギ二羽では少なすぎたが、二羽以上は手に入らなかったので、父はシギの他にさらにヤマウズラ二羽をローストにした。そうしておいて食事のさいにはまず一の膳としてお頭付きのシギ二羽をナイフで切りわけ、別に用意した小ぶりのパンを添えて食卓に運んだ。客が本物のシギを食べ終えると、一の膳をさげ、台所でヤマウズラの頸部にシギの頭部を結えた。その結果、今や偽シギを盛り合わせた二の膳を食卓に運ぶことができるようになった。客の方も、本物のシギそのものと信じ込んでこれを平らげた。父は、気転が首尾よく成功したのをずいぶん喜んだ。わけても、有名な動物学者ロイカルト（Leuckart）がヤマウズラをシギだと思いこんだことを面白がった。「フィスキのぬし」（alte Fiskus）の方自身も、美食のために道楽三昧をした人だった。たとえば、この曽祖父は下底に熱湯が入るよう二重底になったスズ製の特製皿を魚料理のために作らせたがこれは溶けたバターが皿の上であまり早く冷えないようにという配慮からだった。学問というものを遺伝の問題として考えてみるとまだそれほどはっきりした結論は出ていないので、後代の人々がどの程度先祖の精神的特徴を受け継ぐかということも、確実に判断することはできない。けれども、セバスチャン・バッハ（Sebastian Bach）の家系において音楽的天分に恵まれた多数の世代の連鎖が見られるのは偶然によるものではないということが元来かなりの確率を有しているのであるならば、旧家たるイェーリング家のような法律家家族が有している精神的訓育も格別に強い潜在的な力によってわが父や曽祖父の中に体現されることがありうると仮定しても差しつかえないように思われる。

サン・パウロにて、一九一二年五月一二日

博士　ヘルマン・フォン・イェーリング

5　フリードリッヒ・フォン・イェーリング「ギーセンにおけるルドルフ・フォン・イェーリングの活躍」

一　訳者解説

左記に訳出したフリードリッヒ・フォン・イェーリング「ギーセンにおけるルドルフ・フォン・イェーリングの活躍」は、前掲ヘルマンの回想録と同様、息子による父の回想記であり、ギーセン大学創立三百年記念祭のためにイェーリングの友人と教え子に贈られた祝賀刊行物に発表されたものである。邦訳にさいしてのテキストには、国立国会図書館所蔵（No. 923. 4-J59b）の左記を使用した。

Rudolf von Jhering 1852—1868, Briefe und Erinnerungen, (hrsg.). Johannes Biermann, Verlag von H. W. Müiller, Berlin, 1907, S. 77–90.

この書は、最初に公刊されたイェーリング書簡集であり、冒頭に Karl Friedrich Gerber あての書簡約三〇通を抄録し、次いで三篇の回想録を収録している。前掲の生物学者ヘルマンの回想録と比較して、フリードリッヒの回想録の特色は、ギーセン時代のイェーリングを裁判との関連において報告している点にある。その理由は、フリードリッヒが博士でハノーヴァー区裁判所判事の職にあったことによると思われる。

一八五二年（嘉永五年）、イェーリングはシュレスヴィッヒ・ホルシュタイン問題によって政情不安となったキールを去って、ギーセン大学正教授に転任し、同年早くも『ローマ法の精神』の第一巻初版を刊行した。三四歳のことであった。一八六八年ウィーンへ転任するまで一五年にわたってイェーリングのすごしたこのギーセン時代こそ、二通りの意味において注目される時代である。

第一は、このギーセン時代に彼の学問的基盤が形成されていった点である。その最大の所産は『ローマ法の精神』（三巻四部構成）であり、さらに「イェーリング年誌」発表の諸論考である。イェーリングは『ローマ法の精神』を通じて世界的な名声を得るに至るのであるが、しかし、他方において鑑定意見を通じた裁判への関与は、概念法学に対する疑問を彼の心中に生じることとなり、この疑問がついに彼の学問的基盤をつき動かして、かれは新しい転回をとげるに至った。これが注目されるべきギーセン時代の第二の特徴点である。ラートブルフによれば、イェーリングの転回の契機は一八五八年にギーセン大学判決団に送付された「船荷二重売却事件」に求められている（G. Radbruch, Vorschule der Rechtsphilosophie, S. 17-18：野田＝阿南訳四〇―四一頁）。

イェーリングはこの事件における苦々しい体験を通じて概念法学を脱皮しはじめ、早くも一八六一年には「現代法学に関する密書」を連載しはじめ、実際的観点を重視する目的論的考察へと移行していくのである。上記の二つの意味においてギーセン時代は、イェーリングの法思想にとって重要な意味をもっていた。

フリードリッヒの回想録は、ヘルマンの回想録と内容上重複する個所もあるが、この期のイェーリングの生活をエピソードをまじえつつ報告している点でも貴重な価値を有している。自然科学者との交友、失敗に終った果樹栽培、美味を得んがための家畜の飼育、ワインの購買法、名ピアニスト振り、いずれもイェーリングの人柄を如実に示していてほほえましい。大法学者イェーリングは、実生活においては楽天的なエピキュリアンであったといえようか。けれども、楽しかるべきギーセン時代も、北ドイツ連邦議会第一回選挙における落選、愛妻イダとの死別、家計の逼迫等によって終りをつげ、ウィーンへの転進が行われたのは、イェーリング五〇歳の一八六八年（明治元年）のことだった。

以下の訳文においては、原文に Jhering とある所を、冒頭を除きすべて「父」と訳した。

二　〔邦訳〕「ギーセンにおけるルドルフ・フォン・イェーリングの活躍」（一九〇七年）

父イェーリングがヘッセン州立ルードヴィッヒ記念大学への招聘に続いて一八五二年キール大学からギーセン大学に三四歳で転任した時、ギーセン大学は、父がパンデクテン講座担当教授に就任したことから数えると四番目の大学だった。

父は、他学部の教授たち全員と知り合いになる暇もないまま一九四六年秋一学期経つとすぐにバーゼル大学を退職したが、このバーゼル大学もロストック大学やキール大学も、ギーセン大学ほどには長期にわたって父をひきとめることができなかった。

実際、ギーセンの魅力的な環境、ギーセンで父を取り囲んだ友人たち、ギーセンが学問的著作のために父に与えてくれた閑暇など、ギーセンから父の受けたあらゆる事柄によって、ギーセンは父にとって第二の故郷となった。父自身もよくそう言っていた。

ここギーセンで父は、弁護士とか裁判官といった法実務家と足しげくつき合って、この町の法生活に旺盛な関心を寄せ、裁判所に係属している多数のむつかしい事例について法曹たちに自分の反論を主張したり、もっと良い意見を教えたりした。

父は、係属中の訴訟事件に関して教えてもらった報告について父の見解や父および他人の立てた理論を今一度吟味してみようとするほどの刺激を与えることが多かった。父を法史学者としてみるならばおそらく一定の一面性があるというそしりを免れまいが、もし父が法学におけるすぐれて実際的な傾向を代表しているとするならば、この意味において父に決定的な影響を及ぼしたのは、父自身がよく述べていたように、なによりもまず、ギーセンの法実務家たちとの友情あふれる活発なつき合いとたえざる接触とであった。

ギーセンで活動することになった初年度、父は著述と大学の教職上の仕事をこなすことでほとんど手一杯だったが、この年、父は晴天のへきれきのように次のような通知を受けた。すなわち、有名なベンチンク遺産相続事件（Bentinckscher Erfolgestreit）についてオルデンブルグ上告裁判所が、当時まだ有効だった書類送付権（Aktenversendungsrecht）を行使してギーセン法科大学判決団（Spruchfakultät〔訳者注――これについては下記参照。F. Wieacker, Privatrechtsgeschichte der Neuzeit, 1967², S. 181：鈴木禄弥訳一八八頁〕）に鑑定意見を求め、父を鑑定人に指名してきた。なるほどこのこと自体は名誉なことではあったが、しかし、これを実際に果すということは、国内法に係わることがずいぶんと多いこういう問題において、父の不得手な法領域に熟練し手間ばかりかかる基礎研究をしなければならないということが判ってみると、大変なことだった。無数の書類の束やどっさり出されている賛否両論（pro et contra）にかかわる鑑定意見書や訴訟記録が、父のために手押し車で家へ運び込まれ、そういう書類で書斎の四方八方がぎっしりになった時、父はよく陽気にやけ酒を飲んで雑談することが多かった。けれども、さしあたっての所父はライフ・ワークである『ローマ法の精神』第二巻をその直後に出版することになっていたので、うず高く積まれた書類の山に目を通す暇がなく、裁判所が進捗状況について照会してきたとき、要領をえぬ答えをせざるをえなかった。しかし、とうとう父は『ローマ法の精神』に対する気がかりを払いのけ、この仕事に取りかかった。けれども、最初の書類の山に目を通し終わらぬうちに、一八五四年裁判所から父に電報が届き、この訴訟事件は当事者の和解によって解決をみた、とのことだった。この事件は、もともと、法学界やジャーナリズムや政治の世界において広く注目され、ずんぶんきびしい緊張関係を伴って争われてきた訴訟だったのに、これほど平和裡に解決をみたということを、鑑定者たるギーセン法科大学判決団ほど喜んでまるで子供のように歓迎し祝ったものは他になかった。

父は、スイスからもよく訴訟の鑑定意見を求められた。その中でも特に有名な事件は取りこわした城跡の所有権をめぐるバーゼル市の訴訟、簡単に言うと、バーゼル城跡事件だった。父は一八六二年にバーゼル市に組する鑑定意見書を作成した。父の鑑定意見書の究極的結論は、F・L・フォン・ケラー（v. Keller〔訳者注――スイス・チューリッヒの民法学者、政治家、サヴィニーの徒で、スイスのロマニスト〕）の意見書と合致するものだった。父はこの鑑定意見書をみずからの手で、公有物（res publica）の権利関係に関する理論の基本的説明へと拡張した。当時、この理論は、しきりに議論の的となっていた。そうこうするうち、父の鑑定意見書に真向から反対するハインリッヒ・デルンブルグ（Heinrich Dernburg〔訳者注――ドイツの民法学者、明治期日本の法学にも影響を与えたといわれる〕）の鑑定書が出されたので、父はふたたび筆を取ってかれに反論を加えた。スイスの裁判所は父の主張した見解を採用して、請求棄却の判決を下した。父は、燃えるような熱意と衝動的な情熱とを持っていたので、ひとたび手を染めた論証には勝とうと努力した。だからこの事件が、自分の主張した見解とまったく一致をみて終り、自分の意見が勝ったというしらせが家に入ると、子供のように喜んだ。この熱心な学者先生は、勝訴したバーゼル市からの贈物としてバーゼル城に似せた糖菓（Dragée）でつくった大きな果物パイが家に届くと、両手をこすり合わせて喜んだ。

世間は父をこう非難した。「イェーリングは高次法学の説明にあたって低次自然科学という術語を使っているが、彼は医学、物理学、化学、あるいはその他の自然科学分野から剽窃した観念をほしいままにしているのではないか」と。事実、父は、たえず自然科学に多大な関心を持ち続け、自然科学の発達を注意深く見守っていた。父が特にルドルフ・ロイカルト（Rudolf Leuckart）、ヘルマン・コップ（Hermann Kopp）、ブフ（Buff）、ヴィル（Will）といった自然科学者たちと親交を結んだのは、実際、偶然ではない。

ここでは、後年になっても父と大層愉快に交わった自然科学者にまつわるささやかなエピソードを紹介しておこう。父の自宅に集ったホイスト遊びの仲間が、トランプ台から重い腰を上げて食卓についた。遊びに来ていたロイカルトやブフやバウル（Baur）がストーブにあたりながらこの家の主人である父と雑談している時、なかの一人がこう言った。「暖めるためにストーブに置いてある皿のうち、暖まった上部の皿の温度は、下部の皿の温度と等しい」と。教授たちは皆直ちにこの問題を解明しようとした。物理学者はこう言った。「これは、上部に向かうにつれて熱は高くなる。という周知の法則による」と。明らかに意見は割れた。そして大勢を占めた意見は、「最上部にある皿の温度が一番高くなるが、しかし熱くなりすぎることにはけっしてならない」ということに落ち着いた。そこへ思いがけなく主婦たる母が入って来た。なるほど学者先生が言ったように、皿はストーブで温まるのであったが、しかし、そのままでは、最上部の皿が熱くなりすぎてしまうので、母はもう一度皿の位置を置きかえて、皿を暖いストーブ板の中頃におろしたのであった。

おそらく、自然科学上の諸問題にたいして父が持っていた関心は、父の場合とくに強かった自然を愛する心と関連していた。父は、自然に対してたえず新たに強く心を寄せていた。

父は形ある物に心を寄せ鋭い造形感覚を持っていたが、こうした芸術家肌の素質ゆえに、自然の認識、すなわち、自然界の驚異の観察を人間精神にも及ぼす関心に事欠かなかったと言えるであろう。

父は、庭の植え込みを歩くだけでは満足できなかったので、ほとんど毎日外へ出て、ギーセンの美しい郊外を散歩した。父は、グライベルグ、シッフェンベルク、ホイヘルハイム、あるいはその他の近郊によくハイキングに出かけた。春が訪れ、復活祭や聖霊降臨祭の休みにうららかな日よりにさそわれて郊外へ行きたくなると、『ローマ法大全』（Corpus Juris）やガイウス（Gaijus）

やクヤキウス（Cujacius）やゴットフレッドゥス（Godofred《ママ》）の本を閉じて、息子たちをひき連れて、一緒にヴェッツラーへ散歩にでかけた。

　父は著作活動をしている間はしばしば詳しい下書きを作っておくことを習慣とした。著述期間中は、広い庭を散策しながら、やっと芽を吹いた花にも似た着想に注目して、しばらくの間これをじっと熟慮して、ちょうどりんごの実が熟しきって樹からぽたりと落ちるように思想が熟すまで、全身全霊を自分の着想に打ち込み、自分の著作に没頭した。

　庭があったならば、イチゴ畑やアスパラガス畑を作ったり、熱い夏には涼しい木陰にハンモックをつったり、まるで子供のように喜々として果樹栽培に関心を寄せたりしえたであろう。しかしわが家にはこういう樹々にこんもりとおおわれたひろい庭がなかったので、父は家でくつろぐことが出来なかった。こうした広い庭を手に入れるため、父は、クノール（Knorr）の邸を買い取って約一〇年間ずっとここで暮らした。邸は、現在リービッヒ通りにあるギーセン大学附属病院の向い側にあった。可憐なライラックの灌木のある手入れの行き届いた前庭は、つつましやかだが小ざっぱりと気持ちが良く、好感と親しみやすさとを持っていた。邸の裏手には、ほとんどヴィーゼック河の岸辺にまで達する広い庭が、延々とした草原や灌木や森の中に伸びていた。ヴィーゼック河は石造りの庭のぐるりを取り巻いて流れていた。この屋敷の持主となった父は、よく、眺めの良い場所にハンモックをつるして、昼寝をするのが好きだった。この庭には父は子供たちのために丸太小屋をつくってくれた。子供たちは、この丸太小屋の内側にれんがと鉄板とでかまどをつくり、敵の襲撃と攻撃から身を守るためと称して、小屋の外側を壁とお墓とで取り囲んだ。この庭で父は、特に植樹するために盛土した丘の上に、子供たちのためになるといって、五人の子供全員にもみの木を植えさせてくれた。この庭で父は、五人の子供を、芝生の真中にある大きな桜の樹に競争でよじ登らせたりした。父は、燦々《きんきん》と日のそそぐ夏の日に、この庭で、家族全員と一緒に、立派な栗の木の木陰で昼食を取るのが好きだった

クノールの邸を売り払った後、父は、当時新築したばかりの商人ビュッキング（Bücking）の家を借りた。新しい家には新しい庭があった。しかし、ここには長く居なかった。というのは、転居したあとになってやっと出来上がった庭は、なるほどヴィーゼック河の岸辺に達するほど広々としてはいたが、木陰のある場所が全然なかったからである。そこで父は、現在のフランクフルト通りにあった八エーカーほどの広い庭に取り巻かれたエンゲルバッハ（Engelbach）の地所を買い取って、地主になった。この屋敷は、ラベンナウの農家の庭に面していた。この屋敷は、清楚で広い農家の左手に二エーカーほどの広さの花園と菜園があった。果樹は二〇〇本あり、家の裏手には、小作人の住いと共に厩舎があった—そこにはかならず鳩舎と蜜蜂の巣箱とがあった—そして丘に登ると、なだらかな屋根の向うに広々とゆったりした斜面のすばらしい展望を望むことができ、高台が東西の境界になっていた。この屋敷で父は、あたかも王国の支配者であるかのように自負し、父にとって、田舎生活の喜びをすべて与えてくれる新時代がはじまった。しかし、イチゴ畑は丹念に手入れしたのに、実のなる頃になっても、この地主様は、手ずからイチゴ

の実を取り入れることができなかった。アスパラガス畑もつくったが、出来ばえは驚くほど不作で、良い収穫をあげられなかった。三年経っても一度も収穫できぬままウィーンへ移転したのだが、父はこの事を忘れることができず、ギーセン時代の田園生活と農業の成果とを思い出す毎に、当時の汗の結晶、お金と時間との犠牲についてさんたんたる失望を味わった悲運を、ずいぶん残念がった。鳩を飼ったり養鶏に目を向け世話をすることも、父にとっては喜びだった。

ここで農夫となった父は、最後にもう一度、うまい子牛の焼肉を手に入れるために、故郷東フリースランドの伝で子牛を肥育しようと決心した。庭師もやれば召使の役もやり家畜の世話もするというように一人で何役もこなした下男が、朝、子牛のために鶏卵入りのえさをつきくだいているると、父は、日毎に肥っていくきれいな子牛をうれしそうにながめ、もみ手をしてほくほくしていた。父が心の中で想像していたのは、友人たちを呼びあつめてギーセンではまだ食べたこともないようなうまい子牛の背肉をふるまって喝采を博するということだった。当時すでに高名な学者となっていた父は、このように料理についてもうるさ型だったが、ぶどう酒を貯蔵する地下室についてもうるさ型だった。父は、旅館の主人やぶどう酒商人がするのと同じように、ぶどう酒用地下室の管理にもずいぶん気をくばった。父がうまいぶどう酒には目がなく、良いぶどう酒貯蔵地下室を重んじたということ、および、優れた著作をあらわした者と知り合いになりたがったのと同じように、友達には極上の酒を飲ませるという評判を得たがったということは、ひろく知られている。実際、父は、かつて聴講している学生に向ってこう述べたことがある。「諸君はどんな大学へ行かれても、教授先生が優れた人であるか馬鹿教授であるかということは、おそらく見抜くことができるでしょうが、諸君の目の前にぶどう酒が出された時、それがうまいかまずいかは判りますまい」と。

一八六七年聖霊降臨祭のころ、父は一人の友人と共にライン河左岸のプファルツ州へ極上のぶどう酒をさがしに出かけた。村長さんを頼りにあちこちと探し歩いた結果、ついにダイネスハイムから程遠からぬところで、入念な利き酒と熟慮のすえ、ジンメルディンガーという酒一樽の売買契約を結んだ。

しかし、酒樽を買い込む際に生じる故意または過失による錯誤の危険は、どうすれば予防できるのであろうか。後に『日常生活の法律学』(Jurisprudenz des täglichen Lebens) を著わした父自身が、このことを身をもって実証した。父は利き酒をした後、まず村長さんに樽の栓の封印を開けてもらい、次に樽の栓口と樽の縁との間にサインをした。その後間もなくして大きな酒樽がわが家の庭先に届くと、父は、封印とサインが正しい事を確認しておおいに満足するという訳だった。しかしなんと驚いたことには、酒樽が大きすぎて地下室の戸を通らず、地下室に入れることができなかったのである。小さい樽に詰めかえることも、ずいぶん熟成しているぶどう酒を攪拌することになるので、できなかった。だから大樽は、入れろと要求しつづけるトロイの木馬よろしく壁の前に立ったきりだった。しかし、とうとう左官と大工とがやって来て、戸と壁の一部を取りこわし、大樽を二本の角材に載せてロープで引張りながら地下室の奥へ運び込んだのであった。

その後間もなくしてウィーンへ移転することになったとき、父は、多数の家具を競り売りすることはできたが、しかし、この間に熟成するに至ったぶどう酒だけは競りにかける気にならなかった。父は、このぶどう酒を小びんに詰めかえて、オーストリア皇帝の都ウィーンへ送った。このぶどう酒は、ウィーンの枢密顧問官のいろいろな宴会で注目を浴び、讃嘆を添うしたのであった。

父は、よく友人たちと酒びんを傾けながら、良いぶどう酒貯蔵地下室のつくり方と保管法とについて自論をぶった。父の自論は、おおむねこうだった。「良い酒倉を持つためには、旅行をする必要があるね。もっとも、ぶどう酒探しの旅は、周知のようにベーデカー（Baedeker）の旅行案内〔訳者注――一九世紀前半に設立された世界的に有名なドイツの出版社カルル・ベーデカー書店が出版している旅行案内書〕によれば、一にも二にも金金金だと言われている。だがね、財布に金がたんまりありさえすれば、ぶどう酒に対する舌が肥えてくると言うなんざあ、とんだおかどちがいだよ。たとえ金があっても、掘り出し物にぶつかるかどうかは、判りはしないさ。要は、酒倉を持っているほどの者だったら、原則的にいって、将来のためにもぶどうが良作だった年回りのぶどう酒の中からやや上物といったところを選んでおけば、うんと飲めるようになるということを心得ておくべきだね。」

ギーセン滞在中ほど、父が暇さえあれば音楽の助成に没頭し、この町の音楽生活にきわめて旺盛な関心を寄せた時期は他にない。

優れたピアニストでもあった父は、できるだけ規則正しく練習することによって、指先の器用さとなめらかさとを持ち続けることを重視していた。父は、日曜の午後はグランド・ピアノにかかりっきりで、モシェレス（Moscheles）の練習曲やベートーヴェン（Beethoven）のソナタやシューマン（Schumann）の作品などを演奏して過ごすことが多かった。成果に満足できるまで弾きにくい楽節をくりかえしくりかえし何度も練習する父の根気良さは、驚嘆に値するものだった。

父は他のどんな合奏形式よりもピアノ三重奏を良しとしたが、ウィーンやゲッチンゲンでもそうしたように、ギーセンでも結束の固い三重奏団を結成していた。これには、令名の高いチェロ奏者の息子で音楽家のドトラナー（Dotraner）がチェロ奏者として参加し、他に、ひとりないしもうひとりの聴講生か、または音楽家のシエルホルツ（Schierholz）がヴァイオリン奏者として参加した。父は、長い間ギーセン音楽協会の会長を勤めた。父は諸々の指導的な仕事を熱意をもって引き受け、ソリストとして活躍している音楽家と出演依頼の手紙を自分でやりとりし、ギーセンの音楽生活の振興に大成功を収めた。

あるとき、コンサートで演奏する予定になっていたある有名なピアニストが最後の土壇場になって出演できないと手紙で断ってきた時、父は、この難局を乗り切るため、練習するいとまのまったくないままベートーヴェンのソナタを自分で演奏してのけたのであった。

6　アドルフ・メルケル著『ルドルフ・フォン・イェーリング論』

一　訳者解説

左記に訳出したアドルフ・メルケル著『ルドルフ・フォン・イェーリング論』は、イェーリングが死亡した翌年に彼の教え子であるとともに年下の友人でもあった刑法学者アドルフ・メルケル（当時シュトラースブルグ大学教授）がいわゆる「イェーリング年誌」に発表したイェーリング追悼論文の全訳である。翻訳のテキストには、訳者がたまたまフランクフルト・アム・マインから入手できた左記の「イェーリング年誌」抜刷り単行本を使用した。

Adolf Merkel, Rudolf von Jhering, Abdruck aus Jherings Jahrbüchern für Dogmatik des heutigen Römischen und Deutschen Privatrechts, XXXII. Bd. N. F. XX., S. 37, Jena, Verlag von Gustav Fischer, 1893.

本書の巻頭には、生前中の一八八四年にミュンヘンで作成された珍しいペン画によるイェーリングの肖像画が掲載されている。

メルケルの本書は、イェーリングの全業績を通観したものとしてはおそらくドイツ法学史上初めての論文であり、イェーリング法理論研究においてきわめて高い価値を有している。メルケルはイェーリングの教え子であるとともに、のち刑法学者となってからは公私両面においてイェーリングと親交を結んだ。こうしたメルケルの友情にこたえて、イェーリングは、主著『法における目的』第一巻（Der Zweck im Recht, Bd. 1, 1877, Leipzig）をモスクワの公爵レオ・ガリーツィンと共にメルケルに捧げたのであった。したがってメルケルは、イェーリングの人となりも学問も身近にあった法学者として熟知していたのである。

同時代の法学者によるイェーリング論のうちでは、本書に肩を並べうる視野と水準とを持つ書物は他にないといっても過言ではない。一般に追悼論文は過度の讃辞に満たされがちであるが、しかし本書にそうした欠点はみられない。メルケルの語り口は淡々としており、一見面白みを欠くと思われるまでに冷静である。けれどもメルケルは、若き日のイェーリングがベルリン大学私講師であったころからの長年にわたる友人として、ほとんどイェーリングの全業績を視野のなかに収めている。追悼論文にふさわしい格調の高さを保っているメルケルのイェーリング論は、現代法学から見ても多くの点で的確である。メルケルは、たんにイェーリングの法学上の業績だけを評価しようとしているのではない。その背後にイェーリングの人間像をえがき出そうとしている。イェーリングの人となり、イェーリングの文体、イェーリングの教授能力などが、本書冒頭で詳しく論じられているのはこのためである。さらにまた、メルケルはイェーリングの業績を一九世紀後半におけるドイツ哲学、イギリス哲学、ドイツ倫理学との関連の中で論じようとしている。

メルケルのイェーリング論は、ほぼ次の諸点に要約できる。

(1)　イェーリングは、人間的に魅力にあふれた情熱的な人柄を有していたこと。

(2)　イェーリングの業績は、法学における目的主義の樹立者であることにとどまらず、社会的功用主義の提唱者であることによって、哲学においても高い価値を有すること

(3)　イェーリングの主著のなかでもとくに重要であるのは、『法における目的』であるが、しかし本書における個人の人格と社会との関連づけや目的概念の位置づけについては疑問が残ること。

(4)　サヴィニーはイェーリングよりも歴史上幸運で重要な位置を占めるが、しかしイェーリングは人間の現状認識と人間の行動法則とをめぐる精神諸科学の総合問題に関してはサヴィニーよりもさらに普遍的な関係を有していること。

その他、メルケルの論評は多岐にわたっているが、詳細については本文を参照していただきたい。

メルケルは、謙虚にもそのイェーリング論において完全には論じつくしえない論点を後代のために留保している。イェーリング死後におこった法学の諸潮流に彼が与えた偉大な影響を想起す

れば、メルケルのイェーリング論には不備な点もあろう。利益法学、自由法論、社会学的法学、法社会学、マルクス主義法学、プラグマティズム法学などとイェーリング法理論との関連を検討することは、今日の法学に委ねられた課題である。それらを本書に求めることは、もちろんできない。

生前中のイェーリングは、主観的違法性論を唱えるメルケルを批判して客観的違法性論を主張したが、他方、晩年のイェーリングが到達した「目的主義」は、メルケルを通じて、メルケルを師とするフランツ・フォン・リストの目的主義刑法理論を生み出すにいたったことなど、メルケルとの関連において論じられるべきイェーリングの民法学上および刑法学上の意義については、既に周知となっている。メルケルは本書において「実を言えば、私自身、『法をめぐる闘争』が論じている法哲学的思想を、一部は同書よりも早々と公刊いたしました種々の著作において述べたことがあります」と述べているが、『法をめぐる闘争』の成立過程に示唆を与える貴重な発言といえよう。

本書の原文は、メルケルができるだけ客観的な叙述をしようと望んでいるためか実に難解であり、イェーリングの論旨明快な文体と対照的であった。したがって訳者は邦訳にさいして可能なかぎりわかり易く読みやすい日本語を心がけたが、原著者の格調高い文体をそこねることになりはしなかったかと思っている。

メルケルの本書の英訳はイェーリング『法における目的』英訳書の付録に収録されており、邦訳に難中した訳者は、この英訳も参照したが、しかし、英訳者であるアルバート・コクレク（当時ノースウェスタン大学法理学教授）も、原書の難文には相当手こずったとみえて、かなり自由な翻訳をおこなっている。ドイツ語原文に忠実であろうとするかぎり、この英訳は文意の改竄がはなはだしく、参考にはなったが私の解釈とは大巾に食い違っていた。英訳では省略がひんぱんにおこなわれている。本書の英訳は下記記載のとおりである。

Adolf Merkel, Rudolf von Jhering, Tr. by Albert Kccourek ; (in) Rudolf von Jhering, Law as a means to an end, The Modern Legal Philosophy Series V, 1968$^{RE.}$ (1913^{1}, 1924^{2}), New York (Boston), Appendix I, p. 427-453.

ドイツ語原文と比較して、上記の英訳でコメントなしで省略されているのは下記のとおりである。

(1) 原書冒頭部（S. 3—4）の四八行
(2) 結語（S. 37）の六行
(3) S. 17 L. 14—S. 18 L. 14
(4) S. 24 L. 8—S. 24 L. 13
(5) S. 26 L. 10—S. 26 L. 10
(6) S. 30 L. 17—S. 30 L. 19
(7) S. 31 の脚注の一七行全部

なお下記で記号＊）はメルケルによる原註であり、記号＊は訳者による注である。記号［ ］は訳者による補足である。

二　〔邦訳〕アドルフ・メルケル著『ルドルフ・フォン・イェーリング論』（一八九三年）

イェーリング逝去という慟哭すべき訃報が彼の友人たちの一部に届きましたのは、イェーリングが友人たちに取り巻かれてヴィルヘルムが丘で昔ながらの元気さと快活さをもって祝ったあの晴れやかな祝いの宴がまだ友人たちの脳裏に焼きついているころでした。そして、祝宴と逝去とがほぼ同時に起こりましたために、この二つの出来事の印象は、彼の追悼ととわに結びついて友人たちの忘れえぬところとなっております。

あの祝宴――学位取得五〇周年記念――それは祝いを受けた本人にとりまして大変な喜びだったのであります。彼の歩んだ人生の終りは、あたかも、創造の喜びに満ちながらあらゆる人間的感動を通じて波瀾万丈であった生涯の調和ある終焉、まさに夜の闇に暮れんなんとする赤赤とした夕映えだったと思われます。イェーリングは、「私は青年時代に望んだものを晩年になって満たした」というゲーテの言葉を借りて表現するのにぴったりの幸運な人のひとりでありました。彼の記念祝宴をきっかけに喜ばしい形をとって百倍にもなって彼の身に振りそそいだ彼の活動に対する称賛は、彼の心の中で世に認められたという感情に裏付けを与えたのであり、神々の寵児がこの世から召される時には大抵そうなっているように、満足感と幸福感とのあの高みへと彼を賞揚したのであります。

もちろん彼は、自分の仕事としてやろうとしていた計画をやりつくしてしまったわけではありません。この計画をやりとげるには――『ローマ法の精神』(Geist) や『法における目的』(Zweck im Recht) や手をつけたばかりの『ローマ法発達史』(Rechtsgeschichte) を完成させるには――おそらく彼が送った人生と同じ位長い第二の人生がさらに必要だったでしょう。イェーリングは、身を隠している目標に向って千本のマストを張ってさらに船を走らせようとする青年のままでした。しかしこういう目標も、一見したところではあらかた消え失せているかのように見受けられます。と申しますのは、彼が身をおく流れのあらゆる地点が彼の注意を引きつけ、支流が流れを上手《かみて》に遡って辿るよう彼をいざない、川の岸辺にある充実した生活が彼の足を留めさせ、その豊饒な奥地が彼に研究するための探検をうながすからです。

それにもかかわらず、彼の精神態様は際立っていて、この精神態様に応じた影響を学問活動に与えたのでありました。したがって、上記の諸著作が未完に終ったにもかかわらず、彼のライフワークは単なるつぎはぎ細工などではありません。それは、充実した能力をあわせ持った練達の士たることを示しているのであります。

この業績を確定的に評価しようとしましても、それは目下のところでは時期早尚でありましょう。けれども、私たちの仲間からこのような大人物を失ったのですから、私はできる限り明確に彼の人となりと彼の業績全体とを思い返してみたいという気持ちを押さえることができません。ですから、私たちは学問の歴史と幽明境を異にする偉人たちの眠る偉人合祠廟とにおいて彼が占めるにふさわしい地位に関して、不本意ながら暫定的な説明を加えて、せめてものよすがといたしましょう。私がこの小論におきまして彼について述べたいと思いますのも、そういう暫定的な方向付けというほどの意味においてなのです。

　人物とその著作とについてまず述べてみましょう。まことに、文は人なり！　とは良くぞ言ったものであります。文について述べんとする者は、それと同時に、その人となりについて特徴を明らかにせざるをえませんし、人となりを明らかにしようとする者は、それと共に文章理解の鍵を手にいれなければなりません。イェーリングの学問的労作は、彼の人となりが理論領域において発展し展開したものなのであります。

　彼の人となりはとても独特なものであり同時に大層活気に満ちて情熱的に動きまわるといった風でありまして、首をつっ込んだらどんな仲間にでもすぐに仲間の気分と着想とに著しい影響を及ぼし、ある重要な点に共感するかと思えば、事情によってはお互いにちぐはぐな気持ちになってしまうことさえありました。その人格の類まれなる温かさ、社交性、誠実に真理を愛する心、他人の功績に対する公平無私な称賛、他人の運命、就中《なかんづく》彼の友人の幸福と不幸とに対して敏感に同情を寄せる素質、彼はこうしたものに心を寄せました。談論風発の天稟、雄弁の術、たゆまざるユーモア、いつも変わらぬ溌刺さ、臨機応変に機を捕えて機先を制する才幹、こういうものが関心を引きました。他方では、彼が感情に走りやすい性質、彼の自尊心と価値感情とをあけすけに話すこと、反論されても意に介しないこと、自分の確信するところを遠慮なく主張すること、こういうことは、彼に多くの敵をつくりました。彼を見る者の目を驚かしましたのは、世故にたけた才が、感情発露のさいに示された一種の天真爛漫さと結びついていたということでありました、また、人や物を見る率直な判断と、実際的で有用なる物へと目を向ける彼の考え方とが、旺盛な想像力や幅広く熱中できる能力へと結びついていたということでありました。イェーリングはこの世を楽しんで生きるという性分の人だったのであり、卓越した学者の中にもこういう性分の人物はあまり見出せないでありましょう。たとえ彼が天にも届けとばかり喜びの声をあげたり、がっくりと意気銷沈したりして人生の有為転変を十二分に経験しなければならなかったにいたしましても、彼は楽天家でありましたから、そうした人生の浮き沈みにもかかわらず、彼自身としては不満感よりも意欲の方をはるかに多く持ち続けて生涯の幕を閉じたのであります。意欲は百本もの泉からこんこんと彼にふりそそいだのでありますが。たとえそうであったにしても、彼がそれらの意欲に甘んずるということはけっしてなかったでありましょう。さらに、彼は瞑想的な傾向などはみじんも持ち合わすことなく、洗練された現実感を兼ね備えた徹頭徹尾の近代人であり、詩と実生活においてひたすら明々白々たる日の光を友とし、薄暗がりとロマン主義とを敵としたのであります。彼の心の中には自分の思考の中に入ってくる問題なら何でも精神的に通暁してやろうという強い欲求が息づいていたのでありまして、こうした欲求はふた通りの方法で表明されました。ひとつの方法は、気付いた事の絶対的明晰さを求めてわかりやすい素材をできる限り沢山使おうと努力する点にあり、もうひとつの方法は見晴らしがもっと良い観点に向けて自分の思想を鋭敏に向上させる点にありました。とは言え、彼がどれほど高々と普遍的なるものの領域に舞い上がりましても、いつも具体的なるものの姿がくっきりと彼の心に画かれていたのであります。山の頂に高々と飛び立つ鷲は、天空にあっても、「平凡平明に」地を這う動物、地上を飛び交う小鳥のことを忘れないものであります。たとえ高みから観察しても、それによって対象に対する彼の熱情がそこなわれることはありませんでした。イェーリングが没頭した事柄は、たんに知力によってだけではなくて心の全力をもって把握されたものでした。この練達の士は、たえずその持てる問題に共鳴しそれと身をひとつにしたのです。

　こういう特質は、すべて彼の学問的著作の文体に如実に現われており、文体にその魅力とその価値とを添えております。イェーリングが人気を博したのには、大いにこの文体があずかっています。なかんずく、彼の著書がドイツという枠を乗り越えて広く世界に普及し、ついには外国において熱烈なイェーリングの信奉者を生み出すまでに到りましたのは、やはりこの文体の資するところが大であったからであります。彼の文体をサヴィニー（Savigny）の文体とひきくらべてみるのは、やってみるだけの価値を持っています。流麗な文体という点ではドイツの法学者の中でこの二人に肩を並べうる人物は一人としていないと私には思われます。両人の文体に共通している点は水晶とみまごうばかりの透徹した明晰さですけれども、これ以外の点では両人の文体はまるで月とすっぽんです！　サヴィニーの場合には典雅冷静な落ち着きがあり、バランスのとれた主張がみられ、著者の姿は没して一切の意図が、叙述の後景へと抑制されております。素材は彼の真情からほど遠いように思われます。イェーリングが喝破しているように、サヴィニーの場合に素材に関して意見を表明しているのは、論述している人ではなくて、思想の形態をまとった素材そのものです。これに対して、イェーリングの文体は鮮やかな色彩を帯びており、しばしば雄弁かつ情熱的です。彼の場合、著者がその感情と共に姿を没することなく、一行毎に燃えるがごとく我々に語りかけてきます。そして、著者は、問題を解明しようとするばかりではなくて、同時にその問題及びそれに関する著者の見解について読者の納得をえようとするのです。彼は彼の論証にとって流通貨幣とも言うべき名文句や人口に膾炙する慣用句を巧みに駆使しております。叙述の特徴は内容の豊かさと巾の広さとにあり、これらは意欲からこんこんと沸き出し、問題を細部にわたってはっきりさせ、何もかも片付けてしまおうとするのです。そのさい主として取られるやり方は、具体的な物の見方と関連づける方法です。イェーリングは抽象的なものと直観的なものとを結び付ける点で、名人であります。彼のいわゆる「自然史的方法」とは、（たとえイェーリングがこの方法にさしあたりのところ高次の別の意味を与えたにいたしましても）、断じてこの点と関連しているものなのです。さらにこういう点からして、なかんずく豊かな内容がさらに適切な効果を上げますし、ときにはしゃれをよくきかせて比較対照してみることさえ、効果を上げてまいります。こういう点やさらに別のいくつかの点でイェーリングは、彼の哲学の基本傾向に関するかぎりまったく無関係なドイツの哲学者ショーペンハウアー（Schopenhauer）を思い出させます。イェーリングが法学者の中で傑出しておりますように、ショーペンハウアーも哲学者の中では衆を抜きん出ているのですが、それは言葉遣い、わけても話しっぷりの明快さ、豊富で才気換発な比較対照、抽象的な思惟をたえず直観的な思惟と結び付ける点にあるのです。両人は、今だに論じられている概念崇拝に対する闘争という点でも共通しております。

イェーリングの卓越した教授能力が今述べましたような特徴に根拠を持っていたことは、ほとんど言う必要もないほどです。それにもかかわらず、彼は私講師時代にファンゲロフ（Vangerow）の後を襲うことができませんでした。その主たる理由は、おそらく、当時大きな成功を収めるために必要だった教授や博士にふさわしい態度を彼の気質が欠いていた点にありました。それとともに、あらゆる論点をむらなくカバーしどの点でも信頼できそれでいて判りやすい講義ノートを欲しがる学生多数の関心を、彼が十分に叶えてやることは、木によって魚を求めるようなことだったのです。しかし、演習担当教授団としてならこうした要素はもちろん問題にもなりませんから演習講座の方においてはイェーリングはさながら水を得た魚でした。我々個人としては、イェーリングの講義の方がファンゲロフの講義よりも段違いに面白かったのです。私はイェーリングの講座を聴講するようになってからファンゲロフの講義の方に出席する気持ちをまったく失ってしまいました。

イェーリングが全身全霊を打ち込んだ法学者になったのはローマ法大全（Corpus Juris）を座

友の友としたおかげです。彼がローマ法大全から足を踏み入れた法的宇宙、彼にとっては「概念の原動力」が真理であると思われた純精神的な素材から成るこの法の世界、および、この法の世界の主人であり支配人であるローマ法学者が有している精神的な力と自由、こういうものが彼の心を魅了したのです。彼にとって法学とは、その実践的な使命にもかかわらず思弁の才に道を開いておりこの思弁の才がその自己法則を辿ることによってかの実践的な使命にもっともよく奉仕する学問だと思われたのです。彼は、『ローマ法の精神』（Geist）第三巻と「イェーリング年誌」（Jahrbüicher）に発表した論稿とにおいて、こうした点で思弁の才にふり当てられた任務に立ち入り、その特徴を詳しく論じ、そうすることによってこの任務を栄光あるものとなしたのであります。かかる天賦の才が発揮される領域こそイェーリングのいわゆる高次ないし創造的法学であります。彼は高次ないし創造的法学を低次ないし単なる処方法学と比較しております。創造的法学の領域でなら範をローマの法学者にとるのももっともな事です。現代の法実務家や法学者が法形式の継続に対して占めている位置は、［ローマ帝政期の法学者］ラベオ（Labeo）やユリアン（Julian）の占める位置とははなはだしく異なっておりますが、たとえ今日でありましても、イェーリングがローマの法学者のなした創造的な仕事を受け継ぐということは十分にやりうることだったと思われます。彼によれば、ローマから継受された法に含まれている思想内容は、近代取引のあらゆる要求にさえ十分に応えることができるものなのです。大切なことは、もっぱらその思想内容を満開に花開かせかつそれを発展させることであって、ローマの法学者が仕事を投げ出してしまった個所において彼らに盲従することではありません。

彼にとってこの創造的な仕事の主たる形態だと思われますのが構成（Konstruktion）であって、構成に関してはとりわけ「イェーリング年誌」が決め手となったはずです。構成法学の刷新という点で彼が意図していたのは法源研究の再興でありますとともに、彼はサヴィニーの『占有論』（Besitz）によって開始された法学の新時代が有する特質と利点とを考慮にいれていたのです。

私見によれば、イェーリングが上掲の論著においてこの構成法学を越えて実際的なるものに言及しているということは、ほぼ議論の余地なきところです。けれども、彼の思想表現の中には、後期になって彼が激しく論駁し嘲笑した論理的なるものの崇拝が、まごうかたなく現われております。これらの論著において、彼はまさしくこの論理的なるものを崇拝する教皇として姿をあらわしております。彼の叙述は一面的であります。と申しますのも、これらの論著の中には、構成的な仕事が実際に実を結ぶことを約束する条件やこの仕事が不毛なスコラ哲学と袂を分かつ境界線がはっきりしていない――少なくともこういうことが「イェーリング年誌」に発表された論稿についてはそっくり言える――からであります。

けれども、イェーリングがこの「イェーリング年誌」に発表した綱領論文に引き続いて長期にわたる続き物として発表した法解釈学に関する仕事そのものをよくよく検討してみますと、この仕事の中に、論理的要素の過大評価とか、上記の境界線の無視とかは見られません。ただ見解がより普遍的になっている点だけを別にすれば、この法解釈学にかかわる仕事の領域に関するかぎり、初期イェーリングと後期イェーリングとの間にひとつの矛盾も認められません。これらの仕事の中には、生活関係やら取引の欲望やら取引に対して法規が影響を及ぼす態様やらに関する生き生きとした見方が息づいております。たとえば「法の反射作用論」(Reflexwirkungen der Rechte) や「法の受動作用論」(Passive Wirkungen der Rechte) などの論稿におけるように、たとえ彼の研究が直接には実際的な傾向に役立っていない仕事においても、たんなる概念のつぎはぎに終わらぬものがあるのです。こういう仕事において彼にとって問題となるのは、従来関心こそ十分に持たれてはいても留意されてこなかった一群の法生活の諸現象をその実際的関係において解明し、かかる現象を統一ある観点において集約し、それと共に、これらの観点において私法的利益の民事法的保護に関する究極目標（たとえば「概念上必然的な究極」ではなくて目的に適合した究極目標といった実際上の究極目標）を指摘することにあるのです。こういう点で問題となってくるのは、近似してこそいても従来の法思考においては実は個々ばらばらにされている諸現象を一連のものとしてまとめ上げ、その諸特性を共通で簡単な標識に還元すること（たとえば権利能力ある法的主体に一時的に瑕疵あることを事由として人格と物に対する法的制限が継続する状態）であります。私の見るかぎりそれ以外の点ではどこでも、法解釈学に関するイェーリングの仕事における概念の加工は、なるほど実際的な関心があるということだけは判るのですが、しかし、それ以上に出るものではありません。実に目的のモメントは（たとえば土地所有権の制限に関する論稿のような）後期の仕事においてさえ、後にイェーリングが唱えているように、法思考においてこの目的のモメントを絶対的に優位させることを要求する観点に対応したやり方で至上命令として主張されているのです。継受された学説上の見解と法生活の必要との間の矛盾を示しているように思われた実際上の事例が、こういう仕事にきっかけを与えたこともまれではありませんでした。彼が売買［契約］における危険に関する理論を論じたのも、このためでした。判例への関与、［法科大学判決団］鑑定意見書の作成、法学会における出来事の検討、その実際上の経験が、彼の法解釈学上の研究方向を大いに左右し、それと共に、彼のより普遍的な科学的見方に深い影響を、否、革命的な影響を及ぼしたのです。裁判所が受け取った［法科大学判決団鑑定意見書による］発案の中には、イェーリングを一般的に評価するさい逸すべからざるすばらしいできばえの事案もあったということさえできるのです。彼の特徴をとくに示すものに彼がよく使用した『日常生活の法律学』（Jurisprudenz des täglichen Lebens）がありますが、この本は法律家の目を日常生活の多様な複雑さに向けるとともに、日常生活の瑣事にも向けさせるものです。

彼が理論を取り扱うさいにとくに好んで用いる手法は、概念による吟味ではなくて決議論による吟味です。彼にとっては、あずかる所のある取引利益について決議論を使ったさいに出てくる結論の中にこそ、利益評価に関する主たる価値尺度があるのであって、しかも、たとえ議決法（lex lata）に反する場合であってもこの事情は変わらないのです。というのは、彼は止むをえぬ事由なくして利益が目的に反することはないとみなしているからです。これとまったく同じようにして、彼は好んで自説の結論をこういう利益から引き出し、この利益が法的保護に十分値するものかどうかを検討するのです。支配的な理論に関して見たときこの法的保護について明らかに不備があるということになれば、彼にとってこういう理論は信を措くあたわざるものだということになる訳です。彼が気にしているのは、不備の責任がローマの法学者にあることではなくて、近代の法学者の法解釈学における狭量な視野にあるということなのです。それゆえ彼はこうした欠缺を補塡し、法解釈の上で障害となっている思考習慣に対して闘争するための結節点を見出そうとして、ローマ法学の思想界を丹念に検討するのです。こうして通例、彼の勘の鋭さは自分の求めているものを探しあてるのです。事実、ローマ法学者の場合、法思想は断片的にしか表現されていないことが多く、さもなければ控え目に使われただけであって、当時の取引欲望や実際上の動機に対応こそすれ、この法思想そのものの蘊奥を極めてはいませんでした。この点で今やイェーリングは、法思想をさらに多方面にわたる今日の事態に適合させようと開かれた道を切拓くために、彼の持てる全力を振りしぼるのであります。そうした彼の仕事の例としては、「契約締結上の過失論」(culpa in contrahendo)、「感情的利害関係への義務波及論」(Erstreckung der Obligationen auf das Affektionsinteresse)、「名誉毀損による権利侵害に対する民事上の権利保護論」(Civilistischer Rechtsschutz gegen injuriöse Rechtsverletzungen) があります。こうしたあらゆる点についてイェーリングの方法をヴィントシャイト (Windscheid) の方法と引き比べてみますとずいぶん面白いのですが、しかし、こういう比較は別稿にゆだねざるをえません。

「占有論」(Lehre von Besitz) に関する種々の論著におきましても、法解釈者としてのイェーリングは上記と変わらぬ特徴を示しております。ただ異なるのは、これらの論著ではサヴィニーその他に対する痛烈な論駁のなかから、同時に特徴ある手法に対応したさらに普遍的な学問上の確信が顔をのぞかせている点であり、この確信はずっと後期になってはじめて絶対的に重要なものとなるのです。論著の方法にはそれに対応した理論が付け加わり、法解釈上の研究がこの理論を論証するものとなっているのであります。

こうした論著において解釈学上の仕事が、合目的的なるものの影響や彼が自分の法感情からみて正しいと考えたものなどに関する著者自身の確信の圧倒的な影響の下になかったかどうかということは、ロマニステンの方々がお決めになることです。とはいえ、たとえこの手の欠陥があったにしましても、彼の著作からその魅力が減じる訳でもありませんし、民事上の思考に対するその正しい影響が減るわけでもありません。それに、これらの著作の中に多少なりといえども彼が要請しかつ実際上の利益に役立つ創造的法学が含まれているのが事実だということは、否定しうべくもないのであります。

創造的法学につきましてはさらに多言すべきでありましょう。けれども私はこういう点に関していわば門外漢でありますので、現代民法学に対する業績について批判を述べますのは、私の任ではないと思われます。ただし控え目にでも指摘できますのは、この創造的法学が若干の無用な点について現代法生活の一定の要求事項を白日の下にさらしたことであり*、私見によりますと、このような要求は、特徴ある創造的法学の領域内部に欠けているものがあった点と関連しております。

＊　この良い例として挙げうるものに、第三者の受けた損害に対する賠償義務を拡大して過失ある商取引の領域にまで及ぼすという点について、たとえひとつには明々白々たるその必要が、もうひとつには現代ドイツの法感情が様々な点においてそのような賠償義務の拡大を要求していたにもかかわらず、民法教育を受けた現代法学者が一貫して取ってきた否定的な態度があります。民法上の責任に関するローマ法の原則も、故意および過失による権利侵害の法的効果に関する刑法上の原則も、たんなる（論理的に不十分な）適用例にすぎず、より普遍的な思想が理解されていなかったのでありります。詳しくは、ドイツ民法典草案を御参照願いたいと存じます――イェーリング言うところの創造的法学とは、その課題上、実証主義法哲学の課題と紙一重なのであります。と言いますのは、実証主義法哲学の場合にも、法文の概念的内容をできるかぎり簡単かつ完全に表現することが問題となるからです。

イェーリングは、もともと法学における論理的要素を過大評価していたのですが、後期になりますと、これを精神的圧迫感から身を脱しようとする自分の欲求と結びつけるようになりました。つまりこうした欲求によって、純実定的なるものはもはや彼の心の重荷となっていたのでありま す。けれどもまことに彼らしいこうした欲求は、さらに、同時に、これと相違しかつ重要な方法であらわれるに至ったのです。実に、こうした目的を達するには二通りの方法がありました。ひとつは、法における元素的なるものの重みからの解放という方法であり、もうひとつは、これとは逆に、法における元素的なるものの精神的支配という方法であります。つまり、解釈学的方法と発生論的方法とであります。いいかえれば、一方に論理的な加工と濃縮とが、他方に精神的な作業工程の解明があり、この精神的な作業工程から継受された法が明らかにされ主張され形成され続けるのですが、それと同時に、この精神的な作業工程において継受法評価の最高尺度を見出すことができるはずです。精神的な作業工程の解明は、うたがいもなくきわめて困難かつ重要な課題でありますが、イェーリングはローマ法との関連において、まだ青年であったころ、比類なき大胆さをもってこれに目を向けたのであります。

こういう意味において、ローマ法を自由に駆使しようとする彼の欲求は、ローマ法の継受という影響を与え続けている事実に直面しているドイツ国民の自立の欲求に対応するものでした。ローマ法は批判の余地なき権威ある典拠として、つまり、議論の余地なき実践哲学の一分枝として、ドイツ国民の精神的有機体に接木されたものでありました。けれども、こういう実践哲学は、批判的に使わないかぎり、つまり、その根源に還元して現代特有の経済生活、文化生活の諸条件に照して測定されないかぎり、国民生活になじまぬ要素でありましたし、今でもそうなのです。イェーリングは、継受された法に立ち向かう国民的な自立欲求の媒介者でありましたが、この国民的な自立の欲求は、はるかなる過去にまで由来するものだったのです。彼の大著『ローマ法の精神』(Geist des römischen Rechts) の使命は、こうした国民的な自立の欲求に奉仕することにあったのです。この大著は、ローマ法の発達史からローマ法の全面的な理解を闡明にし、それと共に、かの継受法評価の尺度を明らかにし、かくして将来の国民的立法に関して、ローマ法を精選しつつ整序し、改革しつつそのひそみにならい、ローマ後期の法をローマ古代の法に関連させつつ、現代国民の精神と欲求とに対応する法を創造する可能性を作り出そうとするものでした。「ローマ法を通じてローマ法の上に」(Durch das römische Recht über das römische Recht hinaus)、これこそ、かかる側面における彼の活動の標語なのです。彼がこういう目標に向かって驀進し、この方面において実際に成果を挙げえたということは、まことに彼一流の偉業であります。

なるほど、サヴィニーは法発展史の綱領を打ち立ててはおりました。けれども、歴史法学派の仕事から(プフタ(Puchta)の『法学提要』(Institutionen)を別にすれば)、この歴史法学派の綱領に対する親密な関係を認めることはほとんどできませんでした。歴史法学派の仕事は、どちらかと言うと考古学に近い諸著作を度外視すれば、主として解釈学に奉仕することに身をやつしており、法の精神的側面やその発展を文化生活の関連において解明することに目を向けていた訳ではありません。イェーリングは、歴史法学派が要請した課題を引き受けはいたしました。けれども、彼が公刊した諸著をみれば、様々な点で彼が歴史法学派と対立関係に立ったのだということがすぐに判ります。

法に関する歴史的見方は歴史法学派の場合ロマン主義の時代に、言いかえれば、革命期の理念に対する闘争との関連において形成されたものでした。イェーリングの場合、法の歴史的見方はこうした関連に発しますものの、ロマン主義のよそおいをかなぐり捨てております。そのひとつとして、法における普遍主義に対して彼が歴史法学派と異なる立場をとっている点を挙げることができます。革命期の世界市民主義に対する闘争ゆえに、歴史法学派はもっぱら法における民族的要素を強調するに至りました。ギリシャやローマの場合には道徳や習俗や宗教がひとえに民族的な特性を帯びていたのに、近代諸国民の場合には法が民族的な特性を帯びていないという意味合いにおいて、歴史法学派は法をもって民族固有の文化の不可欠な構成部分だと考えております。イェーリングがその著『ローマ法の精神』その他などで観察しようとしたのは、ローマ法がどのようにして、いかなる形態で、いかなる媒介を経て、民族的基盤から自己展開し、古典法学期になって単なる民族的なるものの域を脱し、法と特徴を同じくするその他の文化要素とあいまって普遍的特性を帯びた文化要素として近代世界に継受されたのかということでした。いかにも、もし事情が別でしたならば、わが民族生活の再編強化のさいには、ローマ法をできるだけ迅速に徹頭徹尾わが法生活から除去しようという、歴史法学派ができるだけ身を避けようとした目標しかありえなかったでしょう。そのうえ、民族的起源に係わることについては、歴史法学派は法を民族精神、民族的確信に還元することで自己満足したのです。しかるに、イェーリングは、この民族精神を構成する精神力を認識しようとし、この精神力の法形成に対する係わり方を個別的に解明しようとしたのです、さらに彼は、法が民族精神という神秘的なふところから無意識のうちに生成発展するという歴史法学派の見解に論駁を加えたのです。彼の意見によれば、法固有の存在形態の形成には、始めから意識的な意思作用と反射的な理解作業とが係わっているとみるのが正しいのです。そして、彼の述べる古代ローマ法史は、この点を立証してくれるものとされるのです。この点と関連して、彼は歴史法学派と異った立法作業の評価へと到達いたします。歴史法学派の方は、慣習法を一面的に重視するのに対して、彼はライスト（Leist）*その他の法学者と共に、法の独立過程に対して法律が重要な意義をはたしていると反論しております。そしてそのさい、彼はかのローマ法史から明白な論証材料を手に入れるのです。

＊ライスト（Burckhardt Wilhelm Leist, 1819-1906）は、民法学者で、バーゼル、ロシュトック、イエナの各大学教授を歴任。

要するに、彼の場合における発展思想は、歴史法学派と異なる色彩を帯びております。サヴィニーや歴史法学派の場合、近代科学のこの発展という中心思想は、徹頭徹尾保守的な色合いを帯びております。とくに、彼らは、歴史生活の恒常性を強調し、一方では現在が過去に依存し、他方では個人が客観的な諸力に依存することを力説しております。しかし、イェーリングの場合、この発展思想は、近代科学一般の領域におけるのと同じように、進歩的な性格を帯びています。まことに彼こそは、すでに右記で述べましたように、継受されたローマ法に対する精神的自立を志向する第一人者であります。

さて、右記の基本的見解が、一方では彼の主著『ローマ法の精神』の内容にどのようにして影響を与えており、他方ではこの内容の中にいかにして足掛りと根拠とを見出すのかということについては、本小論において詳しく述べることができません。主著『ローマ法の精神』の真髄について述べることも、同じく断念せざるをえません。そうした検討をしてみたいのはやまやまなのですが、四巻本から成る『ローマ法の精神』においては実に多種多様な問題が取り扱われておりますうえに、ローマ法の発展段階ばかりではなくて、原著者自身の見解の発展段階も反映されておりますす以上、この大著本来の性格からして、これを簡潔に述べることなどとてもできる訳がありません。したがって、私どもの受けた感銘を二、三指摘するにとどめたいと思います。

こうした感銘のひとつに、イェーリングが古代ローマ事情を論じる際に示した卓越した精神的な情熱があります。この情熱は、古代ローマ事情の見方それ自体を具体的に明らかにし、ローマ国民の知的・倫理的な組織をその根本的要素において理解し、継受された法律と解釈との背後にひそむ現実の法生活を示そうとするのです。（ランズベルグ*（Landsberg）の言葉を借りれば）かかる復原的な仕事は、イェーリングの想像力に負うところが大であると見るのが正しく、実際もし想像力がたくましくなかったならば、こういう名著は生まれなかったでありましょう。けれども、『ローマ法の精神』の場合に問題となるのは、知性の想像力（彼の直観能力をいや増した機能）であり、詳しい検討を展開する途中に、想像力の働く素材が取り入れられております。『ローマ法の精神』の場合、個々の点に注目してみますと、どこででも否認しうると思われる個所や、後代の研究によって支持できないと思われる論点もあるにはありますが、しかし、全巻ともに堂々たる学問的迫力に満ちあふれた書物であることには変りがありません。私見によれば、そもそも『ローマ法の精神』は、モンテスキュー（Montesquieu）の『法の精神』（Geist der Gesetze）とあいならんで、学問の青史を飾る地位を占めているのであります。

＊　ランズベルク（Ernst Landsberg, 1860-1927）は、民法学者、法学史家でボン大学教授を勤めた。彼がシュティンツィンク（Roderich von Stintzing）の後を受けて書き継いだ『ドイツ法学史』（Geschichte der deutschen Rechtswissenschaft, Dritte Abteilung, Zweiter Halbband,1910）には三頁にわたってランズベルクの作成したイェーリング著作年表が掲載されている。

今なお不朽の意義を有していると私が思いますのは、とくに、ローマ法の自立化を他の文化要素との関連において説明している点であります。すなわち、ひとつは、他の文化要素とは別にその特殊なあり方を展開実現するローマ法固有の諸形態と、ローマ法学の学問的方法論との説明であり、もうひとつは、ローマの場合には有力であることが立証されている・法に対するローマ国民の命運を基礎づけている倫理的かつ知的な諸特性の説明であります。イェーリングが正当にも仮定しておりますのは、ローマ法学の驚嘆に値する業績は、ただ法学者の論理的巧みさを見ただけではとても明らかになるものではなくて、この業績の条件としてローマ精神のすぐれて実際的な傾向、実際向きの気質、および、一定の性格上の特性を問題にすべきだ、ということであります。なかんずく、彼が『ローマ法の精神』において、ローマ人の規律あるエゴイズムや、ローマ人の権力欲、自由への欲求、および、これらのモメントが法の自立化に対して有する意味に言い及んでいるのは、さすがだと思われます。事実、法の特殊機能は、権力と自由とに係わる諸領域を限定する点にありますし、ローマ人の個性の中からこれらの機能を抽出する論述は、相互に権力分野を限定し合うべきでありながら利益を競い合っている勢力に言及することによって、いちじるしく光彩をはなっております。もしも、ただ受身に徹して他を利するばかりの心ばえしか持たない国民においてだったら、ローマで生じたような法の特性は、形成されないでしょうし、その原動力もありえないでしょう。

もともと、イェーリングの意図するところは、ローマ法の発展過程を論述することを通じて、「法の物理学」、すなわち、法哲学に寄与する点にあったのです。そして、法哲学の諸課題をこういう特質を持った歴史叙述と合致させようという彼の前提は、たくみに論証されたのです。歴史的発展を凝縮した結果は、法哲学に他なりません。人類発展の歴史をくまなく洞察し、これに関連しつつ歴史の歩むべき途を統一的かつ明確に教示しうる思想家こそ、哲学者のなかの大哲学者と言えましょう。一定の時代に関する精神諸科学の分野において有るとし有る普遍的な知識を知るためだったら、大哲学者の説く所を聴くに如くものはないでありましょう。

事実、イェーリングの名著『ローマ法の精神』は、こうした点に資するところ多く、これからの法哲学はこの名著から糧を得なければならないでありましょう。この名著における説明が歴史的な装いをほとんど完全にかなぐりすてているという事は、上記で再三にわたって指摘したところです。個々の補論であれば、法哲学の体系中に容易に取り入れることができるでしょう。ですから『ローマ法の精神』の最終巻は、権利の概念に関する補論で終っているのです。

もちろん、法哲学に対して資するところ大なるもののあるこれら『ローマ法の精神』全巻が、完全に調和がとれているというわけではありません。法哲学に関するイェーリングの見解は、数次にわたって修正されております。こうした点を度外視すれば、なるほど彼は論述のたびごとに事物の観察点を把握し、その観察点に全身全霊をこめて打ち込み、その論点、否、まさしくその論点のみをひたすら闡明しようとして、持てる全力を振りしぼってはいるのですけれども、それにもかかわらず、彼が生き生きと述べている多くの論述の間には、一定の食い違いが生じております。それ自体としてであれば、相互に協力し合っているいろいろの洞察も、一連のものとして見てみますと、これらの洞察を一定の相互矛盾関係へと追いやる表現や主張となっております。矛盾なしに一切万事をむらなくつつみ込んだ物事の全体観を生み出しうるような豊かな作品と生涯との全成果にわたって透徹した瞑想と計画とを思いめぐらすのは、イェーリングの得意とするところではありませんでした。ですから、『ローマ法の精神』初版の改訂によって、こうした食い違いは、(とくに法における論理的要素の過大評価に関しては)各所で減っておりますが、しかし、皆無となっているわけではありません。全般に、法の一般理論が有する全主要問題に係わるイェーリングの著作中には、こうした食い違いを指摘することができます。権利の概念についても同様です。

彼は、『ローマ法の精神』第二巻で古代ローマ法学とその影響を論じるにさいして、法関係とはその本質上支配関係もしくは力関係であり、法とは意思力が具体化したものである、と説いております。つまり、私法全体の考察にさいして力と支配という視点を堅持することは絶対に正しい方法であり、この視点に照らしてみて何の反応もないものはすべて捨象してしまう点に法学の本質がある、と説いております。けれども、『ローマ法の精神』第四巻では、権利とは国家によって保護された利益なりと定義し、力の視点を目的主義の視点に置きかえ、意思説を明らかに否定しております。『ローマ法の精神』第二巻では権利の一面が、同著第四巻では権利の他面が、みごとに解明されてはいるものの、両側面の概念的総括は厳密に吟味されているわけではありません。このこと自体から明らかなように、力に着眼する視点は、法の評価と限定とに対する十分な尺度でもなければ、法の拡大ないし制限とか法の変遷とかの理由を極めつくした解明を与えうるものでもなく、したがって、この視点は、法学の「唯一絶対なるもの」（ετι ς̃ καί πᾱγ）でありうるわけでもありません。他面では、これと同じように、権利の実態は利益ではありえず権利は法に由来するものだということは、確かです。なぜならば、法は個人に利益を与えるのではなくて、一定の利益を顧慮してこの利益に適合した一定の機能を個人に賦与するものに他ならないからです。したがって、一見したところでは、力と支配というふたつの要素を正しく位置づける適正な概念規定をおこなうことは、さしてむつかしいことではないように思われます。けれども、イェーリングの関心は、つねに、こういう定義の論理的正しさに向けられるというよりも、むしろ、その都度考察のうちに入ってくる法関係の諸要素をくまなく解明することに努めることのほうにあったのです。*

＊　この点については、『法学戯論』（Scherz und Ernst）、三六〇頁におけるイェーリングの詳論参照。彼は、法に関する見方のこういう二元論を主張してさえおります。彼は、著書『法をめぐる闘争』（Kampf ums Recht）においては権能の視点を装いも新たに情熱をこめて主張しておりますのに、『法における目的』（Zweck im Recht）の方では目的の諸モメントに目を向けております。

上記のふたつの著作は、イェーリングの人となりをもっとも明瞭に物語っております。『法をめぐる闘争』において示されているのは、彼の性格、理路の整然さ、彼が有する法感情の激しさ、精力家たる体質であり、『法における目的』に見られるのは、上記で述べた彼の知性が有する風格と傾向とであります。彼ほどの人物になりますと、自分の理論的見解が自分独自の思考とぴったり一致するよう表現ができるまでは、すこしも気を安んじることがありません。さらに、彼の理論に意味があるかどうかということは、ひとえに、彼のいかなる人間的側面がとくに強調されているかということに懸かっておりますし、その理論がすぐに役立つかどうかということは、時代を変動させる諸対立や諸志向に対してこの人間的側面がどのように関係しているかということによって左右されます。ですから私は以下で、この人間性がイェーリングの目的論とどのように関係していたかという点について、明らかにしてみたいと思います。

イェーリングは、すでに指摘したように、『法をめぐる闘争』において、法の権能に関する側面について彼の人となりにふさわしい見方を打ち出しました。彼は、後になって『法をめぐる闘争』において論じた諸問題を、ほぼ歴史家としての立場からではありますが、優れた初期の著作

『ローマ私法における債務のモメント』(Das Schuldmoment im römischen Privatrecht) の中ですでに言及しております。彼は、この著書において、ローマの場合刑事法上の諸原理が民事法的保護の領域から徐々に分化することを述べておりますし、いみじくもこの点にこそ、ローマ人にあって法の基礎を成しており法の進歩発展の大部分を占めている分化過程の一典型が存すると考えたのであります。けれども、彼はこう言いながらもそのすぐ後で、上記の領域に端を発する刑法上のモメントを抑制するに類似した諸現象が各方面に生じ、近代世界になると、この現象が倍化拡大し、ついには、法および権利を弁護するにさいして法的意思の情熱を削ぐ結果を示すに至ると述べたのであります。そして彼は、こういう説明は彼自身の考え方や感じ方にまったくそぐわないと自覚するに至ったのです。事実、『法をめぐる闘争』の中では、こういう矛盾が彼一流の鋭さに似つかわしい情熱的な言葉で示されていますし、本書が大成功をもたらしたということのうらには、こうした矛盾が彼一流の勘の良さと結びついていたという点があったのです。本書は、ローマ以来、様々な分野、とくに、刑法の分野で生じた与論の拡大に対応するものでした。ところが、近代ドイツの法生活は、こうした与論や志向を明らかに感じ取ってはいるものの、しばしば病める思想に毒されています。法は、いわば、信を措くあたわざるものへと堕落しはてており、このことは、現代私法秩序についても特筆しうるところとなっております。社会問題が惹起されてからこの方というもの、およそ法とは正義なりとする考え方に対する懐疑の念が広く持たれるようになりましたが、しかし、時代を満たしつつある社会運動とこういう疑念とをつなぎ合わせて考えてみますと、イェーリングが『法をめぐる闘争』の中で述べているような意味での退化現象は、世に広くおこなわれている与論にもかかわらず、食いとめることができるでありましょう。

さらに、この『法をめぐる闘争』は、権利を貫徹すべきことを論じており、全力を傾けて不法を転ずることは権利ある者の義務であるという命題を論じており、全力を傾けて不法を転ずることは権利ある者の義務であるという命題を唱道しております。本書で述べられた権利ある者に対しては、「おのれの権利を踏みにじる者は、他者によりて罰せらるべし」というカントの箴言に関する説法を説くことができるでありましょう。しかも、このような説法は、ほぼ議論の余地なき法哲学上の一真髄を宿しているのであります。*

＊　実をいえば、私自身、『法をめぐる闘争』が論じている法哲学的思想を、一部は同書よりも早々と公刊いたしました種々の著作において述べたことがあります。しかし、イェーリングが私の著作を知りえたにせよ、私の著作が彼の意見にいささかなりといえども影響を及ぼしていないということは、確かなところであります。イェーリングは自分自身の著書においてはいかなる点においても自分の進路を見つけ、独立独歩で進んだはずです。ですから、もし私だったら他の学者の著書を参照するよう求めるような点についても、彼はいつでも旗幟を鮮明にして自著の参照を求めたのです。

イェーリングは、法的に自己防衛する義務に関する自論の根拠を、第一命題として、権利ある者が有する権利と人格との関連に求め、第二命題として、法と権利との連帯（Solidarität）に求めております。

権利と人格との関連は、見事なまでに論述されております。実際、我々の有する権利のうちには、我々の社会的名声、我々の名誉が含まれております。我々の権利を軽視する者は、こういう名声、こういう名誉をないがしろにしているのです。

それにこういうばあいには、私法上の権利と公法上の権利との間に原理的な対立があるわけではありません。実際、私法上の権利主張のさいに力を発揮する法感情は、政治的権利擁護のばあいに現われる法感情と、本質上なんら変りがありません。

もちろん、『ローマ法の精神』第四巻において想定されていると思われるように、権利とは孤立した一個の利益なりと考えることがなければ、権利のなかに人格を認めることもありえぬでしょう。彼が現に説いているように、権利主張とは道徳的自己主張だということにもなりえないでしょう。この権利闘争論は、これまでにもずいぶん批判されてまいりましたが、そういう批判から表現様式における一定の誇張を取り除いてみますと、結局のところ、権利闘争論を首尾一貫して非難しうるひとつの観点が、批判者側から提起されたにすぎません。その観点とは、吾人から上衣を奪うものにはさらに下着をも与えるべし、ということを要求するのを特徴としているキリスト教的観点です。イェーリングの倫理学は意思と実生活とを肯定する倫理学ですから、無論、こういうキリスト教的観点にはそぐわないものです。イェーリングの倫理学に合致するのは、法を創設し法の中に息づいている精神なのです。権利が不法に抗して力を発揮するさいの情熱は、法が不法に対して自己防衛するさいの情熱と同一の実生活肯定の体系に属しています。そもそも、権利であると法であるとを問わず、どちらの場合でも、同一の実生活上の利益が問題となるのです。ですから私たちは、この利益という点で法と権利との連帯を説くイェーリングの第二命題を論じうる段階に達したわけです。

世人が従来法と権利との連帯を誤解したまま事たれりとしてきたのは、不思議なくらいです。事実、権利について語り権利の母であるところの法から権利をもぎ離すことなどは、考えだに及びません。権利侵害であれば法に規定なき場合でも賠償責任を課しうるという考えは、馬鹿馬鹿しいかぎりですし、したがって、たんなる（賠償責任ある）民事的不法と可罰的な刑事的不法とを原理的に区別することなど出来るわけがありません。ですから、イェーリングが的確に認識しているように、民事法的保護の諸機能は、一定程度、刑事法的保護の諸機能と重なり合ってさえいるのです。

実際、『法をめぐる闘争』の中で、法の権利的側面とか、諸法の形成や改革や主張などがなされる諸闘争に関して述べられている事柄には、議論の余地なき一連の思想が盛られております。

ところで、目的に関するイェーリングの思想体系に関して、『法をめぐる闘争』よりもはるかに重要な意味を持っているのは、『法における目的』です。『法における目的』は、『ローマ法の精神』の仕事から生まれ出たものでありながら、それと共に『ローマ法の精神』の筆を折らしめたものであります。子が母を食い殺したのであります。彼は上記の権利論を練り上げることによって、法規が社会目的に従属するということを全力をあげて観察し、ついに、自分の一般的な見方にいちじるしい変化を来すに至ったのです。その結果、独立した一冊の著書においてこういう見解を重点的に論述することが、今や彼にとっては、おのが人生の主たる使命だと思われたのです。そこで彼は、法生活の全形態の端緒となっている要点、いいかえれば、この点を把みさえすれば法生活の全形態を理解しうる要点、これを把握しなければならないと考えたのです。彼は、理論展開の立脚点を、当初から自分の仕事の目標として念頭においていたあの法の物理学に求めたのです。彼はたちどころにこの著作の大綱を書きあげ、この大綱はたちまちのうちにふくらんで大著にまでなりました。すなわち、この大綱は、たんなる法哲学の枠を乗り越えて、倫理的・社会的世界全体の現象学にまで高まったのです。『法における目的』の意図は、この世界を人間目的の創造物として示し、この被造物そのものを示すこと、いいかえれば、社会生活の秩序全体が人間目的に端を発するのだということを、読者の眼前にまざまざと示すことにありました。以下で『法における目的』全二巻の内容について、やや詳しく触れてみることを、お許し願いたいと思います。

イェーリングは、個人のエゴイズムによる（すなわち、生理的、経済的、法的な）自己主張の目的を、社会的自己主張の目的と区別し、個人においては倫理的自己主張の目的が社会的自己主張の目的に対応するとしておりますが、彼はこういう倫理構成を発展理論の類型にまで高めております。彼が示そうとしているのは、『法における目的』の言葉を借りれば、どのようにして

「ある目的が他の目的と結びつき、高次の目的が低次の目的と結びつき、否、結びつくだけではなくて、目的自身が首尾一貫して抗いがたい必然性をもって、他の目的を自己のうちから生みだす」のか、ということです。初めにエゴイズムありき、というわけです。エゴイズムは、「自己の胎内から万物を生み出す母」であり、歴史的に規定された生活諸条件という「強制を通じて実を結ぶ」のです。個人のエゴイズムは、自分自身に奉仕しながら、社会的目的を生み出すと共に、社会目的のために法の組織を実現するのです。法の組織こそ、この目的のために、すなわち、社会的生活条件の保証のために、国家が手中におさめた社会的強制の組織であります。したがって、この法組織の中には、個人的目的と人類全体の目的との合致を特徴とする道徳的精神が含まれているのですが、道徳が法に介入するのは、法において道徳の世界を切りひらくためなのです。ですから、合法性と道徳性とは、なんら合目的的性と対立関係に立つものではありません。合法性や道徳性は、ただただ「社会組織において沈殿した合目的的性の最深・最強の堆積層」を示しているにすぎません。もっと詳しく言えば、合法性とか道徳性とかは、人間精神本来の産物でもなければ生得律（lex innata）でもなくて、歴史的に規定された社会的生存条件に対する適合の結果なのです。したがって、絶対的目的と呼びえぬ絶対的道徳はないわけです。社会の各発展段階には固有の目的があり、それゆえ、それとともに固有の運命と固有の道徳とがあり、人類史をくりひろげる各局面には、すでに、次代への転換が用意されているのです。ある目的を達成してしまうと、その中から新しい目的が現われ、ある道徳を実現してしまうと、その中から新しい道徳が生まれるのです。

この点によって、イェーリングの倫理学と法哲学との輪郭を示すことができます。それは、本小論で問題とする社会的功用主義です。けれども、イェーリングの場合、この功用主義は、道徳律に対する懐疑とか否定的な傾向をいささかも有するものではありません。彼は、理論的にみれば功用主義であっても、実際上からみれば理想主義者であり、道徳の根源を究めることによって、道徳の力を減ずるどころか、なおいっそう道徳の力を高めようと考えているのです。

『法における目的』は、イェーリングが期待したほどには好評を博しませんでした。なかんずく、学問的志向の点で本書になんらの関心もないために本書を法律書としても哲学書としても認めようとはしなかった専門家仲間のなかでは、評判を勝ちうることができませんでした。ヴィントシャイト（Windscheid）を中心とする専門家仲間がこういう態度をとりましたために、やむなくイェーリングは、本書を書き継ぐことを断念し、法学界の関心をさらに引きつける仕事へと身を転じてしまったのです。

それにもかかわらず、『法における目的』が法学者の世界のなかでもそもそも何らの影響も及ぼさなかったと考えるとしたら、それは間違いというものでしょう。加うるに、同書の内容は、近代的思惟のより一般的な傾向をきわめて端的に適用したものだったのです。このことは、残念ながら、本書の長所でもあるとともに短所でもあります。事実、この短所の影響は、現代法学の文献中にわけなく見い出すことができます。近代自然主義は法学書にさえ取り入れられたのであり、『法における目的』では近代自然主義がひとつの拠り所となっているのです。同書に盛られている「目的思想」は近代自然主義に負うものですが、しかし、この目的思想の使われ方は、同書の長所に対応するものとしてではなくて、その欠点を露呈するものとして使われております。*

＊　この点については、イェーリングにささげた祝賀記念論文集所収の拙論「応報理念と目的思想」(Vergeltungsidee und Zweckgedanke) 参照。

いずれにしましても、同書に評論を加えた法学者の否定的な意見は、全般的にいって、あまり深い洞察を行ったものではありませんでした。世人は同書の意義を認めませんでしたし、同書の欠点をことこまかく検討してみる必要も感じなかったのです。ですから、同書については、「思いつきこそ才気換発だが構成がルーズだ」(新聞「ナチオーン」紙) とぐらいにしか言われなかったのですが、しかし、まさしく、彼の着想による構成の統一とまとまりこそ、驚嘆に値するものなのです。他面では、「一体イェーリングの述べていることはすべていつどこで起るのか」という疑問が投げつけられ、「イェーリングの頭の中以外ではどこでも決っして起こらない」(法学者ダーン (Dahn)) という答えが出される始末でした。もしイェーリングの意図にそって答えるとするならば、「同書に述べられていることは、法と道徳とが発達している所だったらどこでも起こるのだ」と答えるべきでありましょう。本書の狙いは、法進化史から抽出した精髄を要約し、法進化史に関して類型的な諸現象を包括して論述する点にあったのです。このような前向きの構想は、原則的にみて、なんら反論の余地がありません。なかんずく、本書の狙いとする所は、法の民族的差異を述べる点にあるのではありません。なぜならば、法が民族によって異っていても、そのことによって、法の共通性の排除されるわけではないからです。法にとって重要なのは、場所を問わずに一定かつ一様な機能を果すことです。実際こういう機能においてこそ、同種の欲望や同種の精神力が表現されるのです。こういう機能は、どこででも法的世界そのものを創り出すにあたって決定的な役割りを演じてきましたし、イェーリングが我々に示そうとしているのも、こういう機能の創造的な作用なのです。もうひとつの問題は、彼の述べていることが場所を問わずに言えることなのかどうか、いやもっと一般的に言えば、上記の創造史に対する我々の理解を実際上促進することに関して本書に有益な点があるかどうかということです。本書は、法学の分野においてよりも哲学の分野において好評を博しました。精神生活の意義を重視する卓越した哲学者オイケン*（Eucken）は、どう考えても功用主義の流派に属してはおりませんが、彼は、「本書によってイェーリングの論じた崇高な問題は新たなる局面に達した」と述べています。**オイケンによれば、新しい思想系列が形成されており、新たなる一群の事実が取り入れられており、いろいろな問題が新たに提起されており、かつ、鋭く論じられているとされています。オイケンは、本書に原則的な意義を認めるよう要求しており、記載事項については絶賛しております。

* 新聞「アルゲマイネ・ツァイトゥング」紙、一八八三年三六二号、三六三号。

** ちなみに、オイケンはイェーリングから見て同郷（アウリッヒ）の後輩にあたる。オイケン（Rudolf Eucken, 1846-1926）は、バーゼル、イエナの各大学教授を勤め、一九〇八年ノーベル文学賞を受け、米国ハーバード大の交換教授も勤めた。彼の新理想主義は、大正年代に阿部能成らによってわが国でも紹介されたが、現代では信奉者を失っている。オイケンの著書 Der Kampf um einen geistigen Lebensinhalt, 1896. は、表題上、イェーリングの著書 Der Kampf ums Recht に類似していると思われる。

イェーリングの本書を他の功用主義学派と比較してみると、近代学問生活の装いを一定程度まとってはおりますが、その重要な特徴は、社会の概念と社会目的とを明らかにし、情熱をこめて法と全エートスとをこの社会目的に還元するという主たる態度にあることが判ります。私の判断するところによれば、一方では、この社会的功用主義は、利己的なるものと対立関係に立つ倫理的なるもの、わけても、道徳規範そのものを明らかにできないベンサムを嚆矢とする純個人主義的功用主義よりもはるかに優れておりますが、しかし他方では、この社会的功用主義の中心思想は、「目的」を措いて他に、包括的で確実な素材に立脚していてかつ目的と同程度に説得力を持っている主張を見出しえなかったのです。イェーリングの思想体系に対して等置されたり上位に置かれたりするのは、ハーバート・スペンサー(Herbert Spencer)の思想体系です。スペンサーの『倫理学原理』(Thatsachen der Ethik)がイェーリングの『法における目的』よりも前に刊行されたものかどうか、私は寡聞にして知りません。[*] けれども社会的功用主義の中心思想は、スペンサーの場合、イェーリングにおけるほどには切れ味が良くありませんし、明快さも欠いております。この点で、スペンサーの学説には一定の曖昧さが示されております。スペンサーの場合には、この曖昧さに関連しているものとして、個々の人の道徳的態度、イェーリングの言葉でいいかえれば個々人の倫理的自己主張と個々人のエゴイズムによる行動との間の対立関係が、その意味を十分に解明されていないという欠点があります。しかし、イェーリングの倫理学には、こういう欠点はありません。さらに、これら二人の考え方は、各々に異なっており、**彼らの理論と方法とを徹底的に比較してみることは、ずいぶんと興味深いことでありましょう。

＊　とくに、スペンサー『倫理学原理』（Thatsachen der Ethik）第四—六節、および、第六三節参照。国家活動の限界づけをめぐる問題に対する考え方にも、相違点があることは言うまでもありません。

＊＊　スペンサー『倫理学原理』（Principles of Ethics）全二巻は一八七九—九三年に刊行されており、イェーリングの『法における目的』全二巻は一八七七—八三年に刊行されたから、『法における目的』のほうが先に出版されたことになる。

この社会的功用主義は、今日、学問領域において大層有力になってきており、あらゆる立場に対してこれを考慮するよう呼びかけており、この点で何でも屋たること以上を欲しているほどになってきております。それに、イェーリングにおいては、社会的功用主義を重視することが、見過ごしえない拠り所となっています。たとえば彼が哲学的訓練を十分には積んでいなかったにしても、彼の経験や著作をすべて合わせ考えてみれば、彼が鋭い現実感覚から社会的功用主義の学説を私たちに熱心に説いているという事実の意義は、すこしも変わりはいたしません。

こういう哲学上の見解に対してさらに一般的に評価を加えることは、本小論ではふさわしくありません。けれども、イェーリングの業績に対する私なりの評価が無批判なものに終わらぬように、私としては、イェーリングにおける学説の特殊形態に対する一定の疑問を提起してみたいと思います。実際、本小論の目的とする所はイェーリングの業績をほめたたえることにあるのではなくて、その特徴を述べることにあるからです。

ひとつの疑問は、イェーリングの学説において個々人の人格が社会に対して有する関係についてです。彼によれば、個々の人間はまったくエゴイストとしてこの世に生まれ、歴史的生活に足を踏み入れます。個人は、正真正銘のエゴイストとして法的に組織された社会を生み出すのですが、この社会において倫理的人格が生じることになります。この倫理的人格は後天的に取得されたものであり、完全形態としての法組織にかかわるものとされます。しかしながら、そもそも、法的世界は倫理的な拠り所なくして考えることはできません。[*] それにもし道徳的諸力の協力がなかったならば、法的世界を打ち立てることは、どこであってもできなかったのであります。したがって、この点で我々は堂々めぐりに落ち入ることになります。歴史家としてのイェーリングは、解釈学者としてのイェーリングよりも的確にこの関係を認識しております。この点およびその他多くの点で彼の『法における目的』は、『ローマ法の精神』(第一巻一一八頁以下、一六七頁以下、二六三頁、二巻六一頁——第四版)に対置することができます。もともと社会的原動力とは、社会の産物ではなくてその前提条件です。社会的原動力は、個々の人格が外側から習得するものではなくて、これらを生み出す法的世界における規律と同じように、ひとえに自分自身で花開くのであり、もっと詳しく言えば、精神的人格一般と同じように、個人とその環境との間の相互作用にもとづいて、社会的組織そのものと平行して発展するものです。** また、イェーリングは、倫理の領域において個々人の人格がイニシアチブを取るという点をまったく説明しておりません。しかも、倫理の領域において古代の倫理体系を検討してみることが後退しております。人間史の始めに新しいエトスを現世にもたらしたのは、諸組織を具備した社会ではなくて、イエス・キリストだったのです。

* 法の支配というものは、法律の（倫理的意味における）拘束力なくして考えることはできません。したがって、法の支配は、倫理感と倫理観、すなわち、あるものはあるべきところのものなり（Sein＝Sollenden）とする感情を前提としています。ですから法は、法固有の存在が依拠する道徳的なるものの助産婦ではありません。さらに、イェーリングは国家の前提を契約に基礎を置く組合に置いております。けれども、義務づけの（倫理的に拘束する）効力を契約が示さなかったら、契約には何の意味もありません。倫理的機能が間接的に迂路を経てはじめて国家法に現われるとき、いったい彼は、こういう義務づけの効力をどこに求めるのでしょうか。さらに、イェーリングは、上記で批判した見解を首尾一貫して堅持しえてはおりません。なかんずく、彼は取引についてこう述べております。「取引は、国家活動に優るとも劣らぬやり方で、最高の道徳的問題を果たしてきたのであり、国家がまだ眠りについているうちに、商業は自分の日課をほとんど為し終えていたのだ」と（『法における目的』第一巻二三二頁）。けれども、もしこういうことが、すでに現存してい

る法秩序の枠内で起きたのであったならば、義務づけの効力が国家に先行してあったことになります。しかし、『法における目的』においてイェーリングは、そういうことはありえないと述べております。もし、こういうことが法秩序の枠内で起きたのであったならば、法よりも前に道徳的なるものが存在したことになるわけです。

＊＊ この点については、上記拙論「応報理念と目的思想」において、もっと詳しく論じてあります。

もうひとつの疑問は、イェーリングにおける目的概念の位置についてです。概括的に見て、彼が考慮しているのは、自覚化された目的であり、彼が法の根源に置いている社会目的は、個々人の目的が結合したものと考えられております。事実、しばしば明らかなように、理論展開の冒頭部で認識された目的の概念も、最後の結論部になると適切に表現されておらず、否、全然言及されていないことさえ間々あります。目的概念は、生き生きと運動しはじめ、たえず新しい機能がつけ加わって、さまざまの成果を生み出しはするものの、最初の目的観念の方向からは遠ざかるばかりです。他面、一定の目的観念から生じた諸制度も、星霜を経るにつれて、その意味に変化をきたし、本来の目的とはまったく別種の思想と結びつくことに拠り所を見い出すことになります。もちろん、こういうことはすべてイェーリングのあずかり知らなかったことですが、しかし、彼のばあい、説明原理としての目的の使い方が、これら諸点の有する歴史的発展の意味をおおいかくすものとなっておりますために、多くの誤解を招くもとになっております。[*] さらに、多種多様な諸制度は、その正当性を歴史の裁きの前に見い出すのですが――たとえば、奴隷制を想起していただきたい——それは、当該制度を生み出すにいたった本来の目的によってではなくて、当該制度が人間的文化生活の向上発展に対して有する意義によってです。そもそも、イェーリングが「客観的目的」というものを想定するのは、このためです。けれども、この客観的目的は、一連の論点を生じるものであります。一面から見ますと、これらの論点についてはなんら立ち入った解明がなされていないのですが、他面から見ますと、もし彼がこの論点を熱心に追求したならば、彼は自説を修正するに至ったことであろうと思われます。[**] とは言え、本小論においてはこの点に立ち入って論じることはせず、もっぱら哲学と法学とにおけるイェーリングの目的論に対する基本的な反論を指摘するにとどめたいと思います。哲学においては、イェーリングの唱える目的論に対する反論は、法と道徳との発達に関する諸理論から提起されております。ライプニッツ (Leibniz) は、法と道徳との発達について次のように述べております。「それは、初めから人間個々人の無意識の観念の中に永遠の法則として眠っていたものが、段階を追ってあらわれて明白になるものと思われる」と。哲学上、法と道徳との発達は、あたかも、概念と確率との体系が、自己調和しそれ自体で妥当する完成態として、人類の意識のうちに彷彿と浮かび来たるものと考えられているわけです。法学においては、イェーリングが唱道する目的論に対する反論は、多種多様なタイプをまとっている現代法学上のスコラ哲学から提起されております。これら両者、すなわち、前者の哲学的先天主義と後者の法学的スコラ哲学とは、相互に密接な内的類似関係にあり、したがって、同一の原理から論駁することができます。事実、現代スコラ哲学と法学的理論主義いいかえれば「概念法学」とには、それ自身の拠り所があるのです。その拠り所は、一面では、イェーリングが達筆をふるって叙述しているように、法学の技術的課題の中に存しているとともに、他面では、概念形成のさいに使われる理性が、えてして、理性の子たる概念を過大評価しがちであり、概念をもって、独特の意味や固有の生命を有しかつ予定された実りをもたらす存在と考えられがちだ、という点に存しております。それゆえ、概念法学は、ドイツ解釈法学に不可避の付随現象、法解釈学のともし火をおおいかくし法解釈学のうえに立ちのぼる煤煙でありま す。もし、このような概念法学についてその哲学上の基礎理論を探究してみようとするならば、それは上記のような態様をとっている諸理論の中に見い出せるでありましょう。と申しますのは、概念法学は、現実界の秩序に関する最高原則を有していると思われ自己安定し先験的に所与で無矛盾な概念界を前提としているからです。こういう前提のもとでのみ、現代論理主義者の思考法において、あるときには、一定利益の保護を概念上不可能だとみなしたり、またあるときには、利益侵害を概念上必然的だとみなしたりすることに、意味があることになります。いいかえれば、あるときには、区別と限定とのために概念から価値を演繹したり、またあるときには、それ自体で正しいものとして、一定の言葉と名辞とに適する概念を求めたりすることが、意味あるものになるわけです。前者の哲学［的先天主義］や後者の［法学的］スコラ哲学は、法があれやこれやの偶然によって左右されるものなどではなくて、いつでもどこでも非論理的な性質を帯びているものだということを立証しさえすれば、学問的にほぼ克服できるものです。イェーリングは、

『法における目的』において、法の現実的機能に注目することによって、このことを論証しようとしております。けれども、彼による論証のやり方は、補足する必要があります。そういう補足の決め手となりますのは、法が妥協的性質を有するということ、および、その折に生じる妥協が可変的な効力と力関係とによって左右されるということとを論証する点です。こういう力関係は、概念から推論しがたいものであり概念体系の中に適切に表現することになじまないのであります***。

* この点について指摘しているのは、［ヴィルヘルム］ヴント（Wundt）、『倫理学』（Ethik）九八頁、一〇三頁、一三一頁など。

** イェーリングが論駁を加えた一定の学説と彼の学説との間に類似点があるのは、まったく明らかです。とくに、社会の概念は、現在でこそ「個人の集合体」と考えられておりますが、これと異なる社会概念も彼の学説と類似点を持っているということを理解しておく必要がありましょう。「客観的目的」が目的論的考察の一例だということは事実ですが、この点から推せば、自然にとって重要なのは、個々人ではなくて人類であるということ、すなわち、社会とはその時代時代に存在する構成員の総和に等しいと考えるのではなくて、これとまったく異なった意味における社会こそが重要なのだ、と考えられているように見受けられます。けれども、彼が可変的な社会概念を想定しているのでありましたならば、それは、結果的にみると、観念論的学説に類似するものだと言えましょう。

*** 『法における目的』においては、こういう法の妥協的性質は論及されておりません。『法における目的』において、イェーリングが出発点としているのは、大体のところ、個々人の通常利益の

一致という観点なのですが、こういう利益の一致は、仮定においてはありえても事実上はありえないものです。彼によれば、個々人の利益が一致をみることによって社会目的が形成され、この社会目的が法を生み出します。自己安定し論理的に統一ある概念体系が実際的利益の世界をくまなくかつむらなく包み込んでいると仮定することは、それ自体として見れば、こういう見方と両立するでありましょう。これに対し、『法をめぐる闘争』においては、法の妥協的性質を指摘する考え方が述べられております。法の妥協的性質については、私も、下記で詳しく論じたことがあります。拙論「法と実力」(Recht und Macht)、『立法・行政・国民経済シュモーラー年誌』(Schmoller's Jahrbuch für Gesetzgebung, Verwaltung und Volkswirtschaft) 第五巻一頁以下所収。さらに、フォン・ホルツェンドルフ (v. Holtzendorff) 編『法学エンチクロペディー』(Enzyklopädie der Rechtswissenschaft)〈第五版〉、一六頁以下。拙著『法学エンチクロペディー』(Juristische Enzyklopädie) 第四〇節以下も参照のこと。

イェーリングは、上記で述べました概念法学に対する反論をますます深化させていきました。彼は、晩年になると、心に持てる情熱をこめて概念崇拝を批判しました。それと共に、彼は『法学戯論』(Scherz und Ernst) において、辛辣な皮肉をこめて概念崇拝に揶揄を浴せております。けれども、ロマニステンの文献が有する特性が法学の全分野において拠り所とされているにもかかわらず、イェーリングが同書においてこれを問題視しているのは間違いであると、私には思われます。形式主義的傾向――同書が問題視しているのは実にこの傾向なのですが――それは、ロマニステンの場合と同様に、刑法学や国法学においては現在でも盛んにもてはやされております。

ですから、イェーリングがこの傾向の原因をサヴィニーとプフタとのせいにするのは、間違いです。けれども事実上、彼は、こうした傾向を、あたかも法の諸概念が天空のきわみから舞い降りてくるのを司っているアポロ神であるかのように見なしております。彼はアポロ神を、数多くのその使徒や門徒ともどども法の概念天国へと、否もっと正確に言えば、法の地獄へと突き落とすことをいとわぬのであります。

けれども、『法学戯論』に見られる勇み足をひとまず措くとすれば、彼の生き続ける姿、現実主義的な思想家たる姿、いいかえれば、彼は、実生活の目的そのものや目的を活動させる原動力や目的を生み出す生活形態などの理解を唱道することによって、実生活の目的に目を向けてこれを解明しようとする思想家であるという形像が、後期イェーリングの諸著においてくっきりと浮かびあがってまいります。

イェーリングがきわめて痛烈に批判したサヴィニーを、もう一度イェーリングと比較してみることをお許しいただけるとすれば、サヴィニーが歴史的に占めている位置は、イェーリングの占めた位置よりも幸運かつ重要だったと言えるのではなかろうか、と私は思います。サヴィニーの諸著作は、一九世紀前半におけるロマニステンの諸分野で新生の核心をなしており、しかも、新生の全分野についてそう言えますのに、イェーリングの諸著作は、サヴィニーと同じような中心的な位置を占めていたとは言えません。それにもかかわらず、他面、イェーリングは、人間の現状と人間自身の行動法則とを自覚させる点で人間に資する所のある精神諸科学の総合問題に対しては、サヴィニーよりもさらに普遍的な関係を有しております。彼の照らした光線がいかなる光明を来るべき次代にさらに投げかけるかということは、将来の問題として残しておかざるをえません。

私は読者に対し長々と論じてまいりましたが、願わくば、本小論で概観した領域が、今なお生命あるものとして永らえ、否それどころか、イェーリングの果たした業績の中に宝石を探し求めえた者が彼の活動分野から立ち去った後でさえ、なお滔々と流れ出ずる精神生活の源泉をこの領域は含んでいるのだということを、読者におかれては、どうか銘記していただきたいと思う次第であります。

7　ヴィクトル・エーレンベルク「イェーリング『インド・ヨーロッパ人前史』編者序言」

一　訳者解説

本稿は、イェーリングの女婿で商法学者であったヴィクトル・エーレンベルクの筆になる「イェーリング『インド・ヨーロッパ人前史』編者序言」である。翻訳の底本としては、次のイェーリングの遺著を使用した。すなわち、Rudolf von Jhering, Vorgeschichte der Indoeuropäer (Leipzig, 1894) S. V–Xである。

法学者イェーリングの長子で博物学者、医者でもあり後にリオ・デ・ジャネイロの博物館館長になったヘルマンによる回想録のなかで、本書が出版当時にうけた無理解について言及されているが、今日でも、イェーリングの他の著作に比較して、本書の評価は高くない。しかし私は、イェーリングが死の直前まで筆をとって古代史学上の様々の難問に挑戦した本書は、もっと評価されるべきだと思う。

本書の出版から約百年が経過した今日では、本書の叙述の細部についてはいろいろと修正されるべき点があるのは、当然であろう。イェーリングの依拠したインド学者ツィンマーの『古代インドの生活』（Zimmer, Altindisches Leben, 1879）は、詳細な研究書であるが、やはり、百年の歳月を経ていてすでに古い。この間、古代史学のみならず比較言語学、考古学、文化人類学などが長足の進歩をみた結果、古代オリエントや古代インドの形成、発展、没落などに関する従来の難問が解かれてきた。そのような現代からする本書の評価は、ペダンチックな法学者の余技にしかすぎないということになりがちである。また、本書の出版当時に本書の受けた評価もまた事実上そのようなものであった。このため、本書は、原著者が著名な大法学者であったにもかかわらず、歴史学者たちから評価を受けるに至ることなく、今日に至っている。

一八九二年にイェーリングがゲッチンゲンに死したとき、本書の原稿は未完成なまま残されていた。彼の意図した『ローマ法発達史』の構想は、肥大化し、〈法、人間、宗教の起源〉にまで遡及して考究がなされた結果、本書は、他の主著と同様にトルソにおわった。それは、ローマ法の起源を求めることを最初の意図としていたが、イェーリングは本書によって彼の初期の著作『ローマ法の精神』の叙述のとおり、「ローマ法を通じて、しかし、ローマ法をこえる」ことを、みずから実践することになった。イェーリングの遺著はもう一冊ある。次がそれである。Rudolf von Jhering, Entwicklungsgeschichte des römischen Rechts（Leipzig, 1894）この『ローマ法発達史』は、主としてローマの家制度および家長権などを考察しており、比較的薄く、現在ではフランクフルトのある古書店が復刻版を取り扱っている。

本書でイェーリングはさまざまの問題を解明している。列挙してみると、アーリア人の母族、原郷土、アーリア人の文化、低次の法律制度、祖先崇拝、セム人の制度、バビロンの文化、ノアの洪水、七曜制、春祭、アーリア人の軍制、一夫一婦制、道徳の起源、などじつに多岐にわたる。イェーリングが問題解明にあたり使用するのは、現実的方法であり、ダーウィンの進化論、とくに自然淘汰説である。

編者エーレンベルクによれば、イェーリングの三番目の妻が読みにくい原稿を書き移すのに一年間かかり、それにもとずいてエーレンベルクが章別編纂にあたり、原著者の死後一年半で出版されるに至った。エーレンベルクは、本書が七十歳をこしたイェーリングの最後の力作であり、「その方法において、『ローマ法の精神』および『法における目的』に匹敵すると、私は全く確信するものである。」と述べている。快刀乱麻を裁つかのように、古代史の難問をつぎつぎに解いていく本書の叙述は、迫力を持って読む者の知性に迫ってくるように感じられ、推理小説よりも面白いと、私は思う。

イェーリング『インド・ヨーロッパ人前史』の意義については、下記の私の論考で論及されている。

＊　山口「法と宗教の起源」（名古屋音楽大学研究紀要、第七号、昭和五九年）

＊　山口「イェーリングにおける法と国家」（法哲学年報、平成二年）

＊ 山口「イェーリングとダーウィン進化論」（名古屋経済大学法学部開設記念論集、平成四年）

＊ 山口「法と宗教の起源―イェーリングによる三つの論争」（宗教法学会「宗教法」第一三号、平成七年）

＊ YAMAGUCHI, The Origin of Law and Religion —— The Ancestorworship Theory in Japan and Europe（中京大学「社会科学研究」一五巻二号（平成七年）。オーストラリア・パースのマードック大学における報告要旨である。）

二 〔邦訳〕ヴィクトル・エーレンベルク「イェーリング『インド・ヨーロッパ人前史』編者序言」（一八九四年）

イェーリング（Jhering）がその著『占有意思論』（Der Besitzwille）を書きおえた時、彼はもっぱら『法における目的』（Zweck im Recht）に専念するつもりであった。しかしビンディング（Binding）の友情溢れるうながしに応じて彼はビンディング（Binding）の『ドイツ法学体系ハンドブック』（Systematisches Handbuch der deutschen Rechtswissenschaft）のために、『ローマ法発達史』（Entwicklungsgeschichte des römischen Rechts）を執筆することを約束し、それと同時に、彼は本書にも取りかかることを決心したのであった。しかも彼は、毎週、数日の午後に私の同僚であるヨハネス・メルケル（Johannes Merkel）と私とにローマ法の歴史を、彼の心に浮かんだままに自由に述べ、そうすれば、文言の確定と学問的構成の発見とが我々によって成されるはずだと考えていた。我々は、ただちに、このプランの実現可能に向けてのきわめて重要な考慮をもった。なぜならば、イェーリングの論文においては、内容と同様に形式もまた少なくとも特徴的であるからである。そして、すでに最初の試みによれば、我々の考慮がいかに正しく仕上っていたかということが示されていた。イェーリングは、我々が彼の熟考に与えようとした形式化において、自己を見い出すことができず、プランは倒れたままとなった。

しかし今や彼は、彼自身が述べたように、ひとたびは「血を舐めて」（Blut geleckt）いた。法史は、彼を二度と見放しはしなかった。最初彼は、原始時代への追憶（die Reminiszenzen an die Urzeit）を最初の章においてのみ、それゆえ、かなり手短に論じるにとどめる積もりでいたが、しかし、新しい問題がもっぱら最後の「何故」（Warum）に到達していると思われるまで、一切の解答の背後に、さらに新しい内容を準備している深みへといつもはまりこむ彼の性質に対応して、この章はしだいしだいに拡大され、一冊の独立した著作となった。ローマ人は文化要素においてその原郷土（Urheimat）から何をもたらしたか。さらにローマ人は、移動期に何をえたか、（彼が南ロシアにあったと考えた）第二の郷土（die zweite Heimat）において何があったか。けれども、こういう問題の解答もまた、彼をまだ満足させなかった。彼はもっぱら、次のように問うたのであった。ローマ人はセム族（die Semiten）、バビロニア人、フェニキア人などから、文化要素において何を受けとったか、そして、そのようにして、彼は、彼のその最後の二年間をもっぱらバビロン文化の研究に捧げたのであった。彼は、バビロン文化の初期の偉大な発達を、わずかな・土地の性質によって規定された・純粋に実際的な必要に還元しようとした。この研究の結果は、本書の第二部を成しており、ほぼ本書全体の半分を成している。ルナン（Renan）に向けられた第三四章はイェーリングが執筆した最後の章である。彼が、アーリア人とセム人の民族性を詳細に叙述しようとしていたとき―これは、彼がとくに楽しんでいた課題であるが―筆が彼の手からすべり落ちたのであった。いずれにせよ、本書はたとえ、巻末にまで達していないにしても、そのようにして一応、完全に満足できる完結へと達したのであった。

もともと計画されていた『ローマ法発達史』(Entwicklungsgeschichte des römischen Rechts) については、彼は序論と数章とを完成させていた。私はもともと序論を付録として本書につけ加えたかったけれども、あとから故人の遺稿の中に、さらになお残余の断片を発見したときにその序論を、特別の小冊子としてこれらの断片とともに出版せしめる方が、より目的に適していると思われた。その出版はすぐに来年度におこなわれるであろう。

本書の中に見出され、最後の推敲が行われたとしたならばきっと除外されたことであろう多くのムラや矛盾さえも、ともかくはっきりさせせんがため、そして本書がたとえ長年にわたるイェーリングの著作の出版においてのみならず、同じく『ドイツ法学体系ハンドブック』(Systematische Handbuch der Deutschen Rechtswissenschaft) の出版においても発行されるであろうことを明確にせんがために、本書の成立史をややくわしく述べた。

今日を迎えてみるとイェーリングの死後、出版までに一年半以上に達しているということは、主としてマニュスクリプトの状態に因るものである。故人の未亡人は、ほぼ一年にわたって、倦《う》むことのない作業の中で一語一語、部分的に読みにくい手稿を判読することに努力された。すぐれたコピーにもとづいて、ついに陽の目をみうるということは、もっぱら夫人のおかげである。私自身の作業は、比較的にわずかな作業であった。全体のプランを確定し、それにしたがって本書を構成することに成功したのち、私は、各章を修正し、引用を確認し、個々の小さな不備を埋め、文体上の不注意を除去し、ともかくあちこちの実に長すぎると思われた点を、さらに多くの文に小分けしなければならなかった。しかしこの場合にも、最大の自制を私に課して、イェーリングが私にくりかえしたか、しきりとうながしたかどうかを、特別の短縮化と文体上の変更を私の考えによって行うのが正しいと考えたように彼の遺稿について取り扱った。けれども私は、世界はイェーリングの最後の大著を彼がそれを書いたとおりに受けとる権利をもっていると思う。その場合でも、世界はまた若干のくり返しと文体上のムラをその購入品のうちに得ているはずである。

　私はさらに大きな自制をもって内容に対しても考察した。そして当然にも私は、私が著作の見解を支援できない個所においてはじめて〔かかる自制は〕正しいと考えた。私にとって全く不適切と思われた個所においてのみ私は―ただ注の形でのみ―異なる私の見解を述べたつもりである[1]。

（1）　私はあちこちに読者の方向づけのため、不完全さの指摘ないし、本書の徐々の成立の指摘を必要と考えた個所で、こうした注をカギかっこに入れた。

このことは、イェーリングがゲルマン民族研究の確実な結論と自己矛盾している個所や彼自身が歎いたドイツ法の不十分な知識がはっきりしている本書の個所についてもあてはまる。すくなくとも、（イェーリングがみづから求めているいるような）避けがたい批判を予想することは、私の課題でありうるであろう。

すなわちイェーリングは「アーリア母族」（Arische Muttervolk）（第一部）の特徴づけにおいてほとんど全面的にツィンマー（Zimmer）の『古代インドの生活』（Altindisches Leben, 1879）の叙述に従っている。それゆえ、彼はツィンマーと同様に、リグヴェーダ（Rigveda）の文化程度を原アーリア的（ur-arische）と考えている。かかる見解は、ロマニステンにとっては奇異に思われよう。なぜならば、ローマ人の文化は、最初期の帝政期においてすでにツィンマーの見解によれば、リグヴェーダ期のインド人よりも、はるかに高度な文化であったからである。けれども、事態は、ドイツ法の専門家にとっては少しも不思議ではない。ゲルマン民族は、彼らが歴史の光の中に踏み入ったとき、ツィンマーの叙述によってさえ、リグヴェーダ期のインド人よりも低度の国家と法の発展段階にあった。それゆえ、ゲルマン民族は移動期に退歩したはずである。このことはすでに他の文化程度に関しては考えられないことだが(2)、しかし、このことは国家・法制度については、正しくありうることだし、イェーリングによって最もいきいきと論議されねばならなかった点である(3)。

（2） この点については下記参照。シュラーダー『比較言語学と先史』（Schrader, Sprachvergleichung und Urgeschichte, S. 55, 209）

（3） Vgl. 本書のS. 63, 474, 475.

しかし、今日では最新のインド学研究は―私は私の最もよく知っているその側面（法）に注目させられているのだが―リグヴェータ期の文化を、すでに高度に発達した文化であり決してアーリア人の原始時代にまで遡る文化ではないと考えている。とくにピッシェルとゲルトナー「ベーダ研究」（Pischel u. Geldner, Bedische Studien, Erste Band (1889) S. xxı. 55. S. xxv）の述べる所を御参照あれ。そうすれば、ツィンマーによって、そして彼に依拠してイェーリングによって叙述されたのとは全くちがう像が保たれるだろう。それゆえ、我々は、アーリア母族の文化程度の評価に関しては、比較言語学研究、他の牧畜民族の類推、ゲルマン民族とスラブ民族の最古代の状態からの推論が我々に与えてくれるメルクマールに自己を限定しなければならない。アーリア母族は、遊牧民族で、たんに種族的団結においてのみ無為に暮らす牧畜民族であった。法的にも国家的にも構成されていなかった。実際の国家形成は、移動期にはじめて生じた。ゲルマン民族の場合には、国家形成は、移動それ自体と同様に、さらに歴史時代にまで続いて完了した。

それゆえ、私は、この点でイェーリングは間違ったと思う。がしかし、このあやまりは、彼の業績にとって何ら意味のないものである。なぜならば、アーリア母族の文化程度が実際に低くなればなるほど、ヨーロッパ民族、とくに、ローマ人の文化にとって他の民族の移動期と影響が考慮のうちに入ってくるからである。そして、まさしくこのことを叙述することこそイェーリングが彼みづからに課した課題なのである。

（4）　たまたまS. 201f. のように他の個所つまり本書のもっと後の部分では別の見解が示されている。アーリア母族における一切の国家制度の欠如に関してここで与えられた見解は、第一部の内容、とくに種族の王位（Stammeskönigtum）、形成された債務者、一定の公共建物での民族の定期的な集会、などの仮定と調和しない。疑いもなく、本書の完成のあかつきには、こうした矛盾は、第一章で述べられた多くの見解が訂正されるべきものと私が考えているのと同様に削除されたことであろう。

そしてそのようにして、私は、そもそも実に楽しい希望を、しかし、実に悲しい感情をも、イェーリングの心が情熱をこめて愛着していた本書の公刊に委ねるものである。すなわち、本書は、たとえ七〇歳をこえた人物イェーリングによって執筆されたものではあっても、汲めども尽きぬ青年の若さの実に生き生きとしたしるしである。その方法において、『ローマ法の精神』(Geist des römischen Rechts) および『法における目的』(Zweck im Recht) とに匹敵すると、私は全く確信するものである。否、バビロン人の文化およびアーリア人の移動を論じている各章（第二、三、四部）は、おそらく、イェーリング自身が「現実主義的」（realistische）方法と名づけていた彼の思考法と方法との最も特徴的な表現を構成している。私個人は―そのことを私はおそらくここで述べてもよかろう。──本書にたずさわったおかげで、豊かな鼓舞と教訓とを得ることができた。そして本書は、私にとって岳父たりし彼とともにもう一度短時間共にくらし、私が彼の精神を知りつくし、彼の感情をわずかに予感したこと以上のものであった。けれども人生最後のひと呼吸に至るまでのこの大人物の限りない人の良さ（Gute）についての思い出は、彼の著書たる本書のなかにまざまざと残っている。

ゲッチンゲン（Göttingen）　一八九四年五月三〇日

ヴィクトル・エーレンベルク（Victor Ehrenberg）

第三部　イェーリングを原典で読む

8　イェーリング「法感情の発生について」〈原典資料〉

イェーリングの講演が掲載されたウィーンの

「一般法律家新聞」1884年3月16日号，および他号

Über die
Entstehung des Rechtsgefühles.[*]

Vortrag von Dr. Rudolf von Jhering. — (Gehalten in der Wiener juristischen Gesellschaft am 12. März 1884.)

Euere kaiserliche Hoheit!

Hochgeehrte Versammlung!

Ich bin leider genöthigt, meinen Vortrag mit dem Geständniss zu eröffnen, dass ich nicht im Stande bin, meiner Aufgabe vollkommen gerecht zu werden. In sachlicher Beziehung glaube ich es in Aussicht stellen zu können. Die Frage, die ich behandeln werde, bildet seit einer Reihe von Jahren den Gegenstand meines angestren-

---

*) Der Vortrag des berühmten ehemaligen Rechtslehrers an der Wiener Alma Mater und Ehrenmitgliedes der „Juristischen Gesellschaft" wurde von einem Auditorium entgegengenommen, wie es glänzender wohl kaum jemals zur Anhörung einer juristischen Materie versammelt war. Ihre k. k. Hoheiten Kronprinz Rudolf, die Erzherzoge Karl Ludwig und Rainer, — welche den Vortragenden sich vorstellen liessen und mit demselben, sowie den anwesenden Sommitäten der juristischen Welt, den Präsidenten unserer drei Höchstgerichte, Schmerling, Gf. Belcredi und Unger, längere Zeit conversierten, — die Minister Br. Pražák und Br. Conrad, OLG.-Präsident Br. Streit und OLG.-Vice-Präsident R. v. Keller, 2. Präs. v. Stremayer. GProc. Dr. Glaser, die Herrenhaus-Mitglieder: Br. Hye als Präsident, Dr. Jacques als Vice-Präsident der „Juristischen Gesellschaft". ferner Br. Neumann, Fr. v. Hasner, Br. Tomaszok, Königswarter, Arneth, — die Reichsraths-Abgeordneten Dr. Banhans, Lustkandl, Sturm, Tomaszczuk, Weitlof, Präs. d. Adv.-Kammer Br. Härdtl und mehrere der angesehensten Mitglieder des Richterstandes, sowie des Barreaus und Notariates folgten dem Redner mit Aufmerksamkeit und lebhafter Zustimmung bei vielen geistreichen Wendungen und dem neuesten Stande der Naturwissenschaft entnommenen Belegstellen des länger als anderthalb Stunden in freier Rede entwickelten Vortrages.

gten Nachdenkens und ich bin mit mir selbst bereits seit geraumer Zeit zum Abschluss gelangt. Ich glaube also in dieser Beziehung für mich eintreten zu können. Dagegen muss ich gestehen, dass ich in formeller Beziehung leider den Anforderungen, die Sie sicherlich mitgebracht haben, nicht in der Lage sein werde, zu entsprechen. Ich bin kein Redner, ich bin akademischer Lehrer, ich bin stets gewohnt gewesen, frei zu sprechen, aber ich habe mir bei meinen Vorträgen als Augenmerk die Klarheit, Fasslichkeit und Anschaulichkeit der Darstellung gestellt. Die Kunst eines schönen Vortrages habe ich nie geübt und gepflegt und mir eben auch nicht angeeignet. Ich bin gewohnt, einen mündlichen Vortrag genau auszuarbeiten und zu memorieren. Ich würde vollkommen befangen sein, wenn ich das versucht hätte, weil ich es nie gethan habe. Meine Herren! Darum muss ich an Sie die Bitte richten, gestatten Sie mir meiner alten Weise treu zu bleiben, hier frei zu sprechen, selbst auf die Gefahr hin, dass mein freier Vortrag, wie ich überzeugt bin, mit manchen Mängeln verbunden sein wird. Ich hege zu dem Wohlwollen und der nachsichtigen Beurteilung, die ich in Wien von jeher erfahren habe, auch diesmal das feste Vertrauen, dass man mir meine Bitte erfüllen wird, und ich benutze diese Gelegenheit, um für dieses mir so vielfältig widerfahrene Wohlwollen und die freundliche Gesinnung den Wienern hier öffentlich meinen tiefstgefühlten Dank auszusprechen. (Beifall)

Meine Herren! Mein gegenwärtiger Vortrag bildet in gewissem Sinne ein Stück zu dem Vortrage, den ich vor einer Reihe von Jahren in der juristischen Gesellschaft zu halten die Eher hatte, zu dem über den Kampf ums Recht. Beide Vorträge haben zum Gegenstande das Rechtsgefühl, der erste Vortrag die praktische Betätigung des Rechtsgefühles, die moralische und praktische Reaktion gegen eine schnöde Missachtung des Rechtsgefühles, was ich glaube hier betonen zu sollen, da man mir vielfach die Ansicht untergelegt hat, als

ob ich dem Zankstreit, der Prozesssucht das Wort habe reden wollen. Ich bin nur eingetreten für ein gesundes, kräftiges Rechtsgefühl, das gegenüber Misshandlungen sich zur Wehr setzt. Mein gegenwärtiger Vortrag hat ebenfalls dasselbe Ziel zum Gegenstande, aber nach einer anderen Seite hin, nach der Seite seines Inhaltes, und zwar spezieller ausgedrückt, in bezug auf die Frage, woher stammt der Inhalt jener obersten Grundsätze und Wahrheiten, die wir als Inhalt unseres Rechtsgefühles bezeichnen. Sind diese Wahrheiten angeboren? Verstehen sie sich für uns selbst, wenn wir zum Bewusstsein kommen, oder sind sie ein Produkt der Geschichte? Wenn man mir vor einer Reihe von Jahren diese Frage vorgelegt hätte, so würde ich nicht den mindesten Anstand genommen haben, sie im ersten Sinne zu beantworten, ja würde jemanden gar nicht verstanden haben, der die entgegengesetzte Ansicht hätte verteidigen wollen. Ich war von der Überzeugung, dass der Mensch in sich selbst die Bürgschaft dieser Wahrheiten trägt, in dem Masse durchdrungen, dass ich mir die Sache gar nicht anders denken konnte. Aber mir ist später der Zweifel gekommen; er ist mir in einer Weise und auf einem Wege gekommen, den ich hier nicht auszuführen brauche. Ich deute es in kurzem an: auf historischem Wege, auf dem Wege der Vergleichung. Ich habe Rechtseinrichtungen gefunden, wie sie bei Kulturvölkern auch noch auf früheren Stufen der Entwicklung waren, die mit jener Annahme durchaus nicht stimmten, ich fand bei einem und demselben Volke über wesentliche und prinzipielle sittliche Fragen Widersprüche, und da bin ich nach und nach zu der Ansicht gelangt, dass die sittlichen und rechtlichen Wahrheiten nicht angeboren sein können. Wären sie angeboren, so hätten sie von jeher bei dem Volke, das sie später erkannt hat, gelten müssen. Sie haben nicht gegolten, folglich hat es eine Zeit gegeben, wo sie dem Gefühl fremd waren. So bin ich nach und nach zur Erkenntnis gekomnen, endlich zur festen Überzeugung, dass die gewöhnliche Lehre von den angebore-

nen sittlichen und rechtlichen Wahrheiten völlig unbegründet ist. Ich will nun nicht leugnen, dass, wie diese Ansicht mir zum erstenmal kam, ich vor mir selbst erschrak. Ich glaubte den festen Boden unter mir wanken zu fühlen, es schien mir, als ob sich ein Abgrund auftäte, der mich mit meinen heiligsten Überzeugungen zu verschlingen drohte. Aber ich habe der Gefahr ins Auge gesehen, und ich freue mich, dass ich nicht zurückgeschreckt bin. Denn meine sittliche Überzeugung habe ich meiner Ansicht nicht zum Opfer bringen müssen. Nur der Grund, auf dem sie beruhte, ist ein anderer geworden. Anstelle der Natur, die angeblich die sittlichen Wahrheiten in den Menschen gelegt hat, ist für mich die Geschichte getreten. In beiden sehe ich die Offenbarung Gottes. Ich betrachte Gott als den letzten Urgrund alles Sittlichen. Aber ich bin nicht der Ansicht, dass Gott sich bloss in der Natur zu offenbaren hat, sondern erst recht in der Geschichte, und ich schicke gleich hier voraus, dass meiner Überzeugung nach meine Ansicht, die ich in folgendem die Ehre haben werde vorzutragen, der Heiligkeit, der Idee des Sittlichen so wenig Abbruch tut, dass sie meiner Ansicht nach erst dadurch zu ihrem wahren Rechte kommt.

Ich werde mir im folgenden verstatten, zuerst die beiden Ansichten, die sich hier gegenüberstehen, kurz zu charakterisieren. Die eine Ansicht nenne ich die nativistische; diese sagt, wir haben die Sittlichkeit von der Geburt an, die Natur hat sie uns gegeben. Die andere nenne ich die historische, die Geschichte hat uns den Aufschluss über das Sittliche gegeben, und wenn ich also die Frage zuspitzen will, um deren Entscheidung es sich am heutigen Abend handelt, so kann ich kurz sagen: Ist Natur oder Geschichte Quelle des Sittlichen? In diesem Augenblick fällt mir ein, dass ich noch einen kurzen Nachtrag machen muss. Damals als ich selbst zu meiner Ansicht gelangte, wusste ich noch nicht, dass diese Ansicht bereits von einem der hervorragendsten Denker aller Zeiten und Völker, von dem Englän-

der Locke, ausgesprochen war. Mir, dem Juristen, konnte man es zugute halten, dass ich es nicht wusste; denn in unserer Darstellung der Rechtsphilosophie und der Ethik war von Locke nicht die Rede. Mir ist es unbegreiflich, dass, nachdem Locke einmal seine Ansicht verteidigt hatte, die Philosophie ruhig ihren Weg weiter fortgegangen ist. Locke ist in Vergessenheit gekommen und unter allen Umständen glaube ich mir das Verdienst aneignen zu können, dass ich die Ansicht von Locke, wenn auch in anderer Richtung und vollständiger, wieder zu Ehren bringen konnte. Ich habe diesen Nachtrag für nötig erachtet, um nicht in den Verdacht einer Originalität zu kommen, die mir nicht gebührt.

Ich wende mich jetzt zunächst der Darstellung der beiden Ansichten zu, und zwar zuerst der nativistischen Ansicht. Diese Ansicht geht bis auf die Griechen zurück. Die Griechen unterscheiden in bezug auf das Recht das *ψυσει* und *θησει δικαιον*, das Recht, das die Natur selbst in uns gelegt hat, und das Recht, das seine Autorität bloss positiven Satzungen verdankt.

Dieser Gegensatz geht von den Griechen auf die römischen Juristen über, wie so manche philosophische Idee, und nimmt die jedem Juris ten bekannte Gestalt des jus civile und jus gentium an. Jus civile ist das positive Recht, wandelbar, vergänglich, ohne innere Berechtigung, jus gentium das Recht, das sich auf die innere Notwendigkeit stützt und das daher überall und bei allen Völkern dasselbe ist. Übereinstimmung bei allen Völkern: das war das Kriterium dieses ewig wahren und gerechten Rechtes. Mit der römischen Jurisprudenz ist diese Lehre dann auf unsere Zeit durch das Mittelalter hindurch übergegangen, auf unsere heutigen Rechtsphilosophen; von den Philosophen auf uns Juristen und erfreut sich bis auf den heutigen Tag, soviel mir bekannt ist, eines völlig unangefochtenen Ansehens. Diese Ansicht selbst hat nun verschiedene Spielarten, und die Verteidiger derselben sind sich, soweit ich sehen kann, nicht einmal

über diese Verschiedenheiten klar geworden. Eben weil sie den Gegensatz und die entgegengesetzte Ansicht sich nicht gedacht hatten, sind sie sich über ihre eigenen Verschiedenheiten nicht bewusst geworden. Ich bin also, möchte ich sagen, genötigt, meine eigenen Gegner über sich selbst zu belehren. Ich zerlege diese nativistische Ansicht in drei Spielarten, die ich bezeichne als die materialistische, und zwar die erste als die naive, wie sie im Leben verbreitet ist; die zweite materialistische Ansicht, die vorzugsweise der Wissenschaft angehört, nenne ich die evolutionistische und die dritte die formalistische Ansicht. Die materialistische Ansicht in ihrer naiven Gestalt besteht darin: Die sittlichen Wahrheiten, die höchsten Rechtsprinzipien sind uns von der Natur selbst vorgezeichnet. Wir brauchen nur unser Rechtsgefühl oder wie man sagt, unsere Vernunft zu fragen, so ergeben sich diese Wahrheiten von selbst. Die Sätze: 》Du sollst nicht stehlen, rauben, morden, du sollst nicht lügen《, verstehen sich für jeden von selbst. Das ist also die erste Ansicht. Ihr zufolge ist der ganze wesentliche Inhalt des Sittlichen bereits im Gefühl oder in der Vernunft vorgezeichnet. Die zweite materialistische Ansicht bezeichne ich als die evolutionistische. Ihr zufolge sind diese Grundansichten ihrem gesamten Inhalte nach nicht bereits von der Natur vorgezeichnet, sondern bloss ihrem Keim nach in uns enthalten. Der Keim aber muss erschlossen werden; er wird erschlossen durch die Geschichte und durch das Denken der Philosophen. Darauf beruht die Möglichkeit der Rechtsphilosophie; diese nimmt das, was verborgen im Schosse dieses Rechtsgefühles liegt, holt es an die Oberfläche, bringt es in wissenschaftlichen Zusammenhang. Aber auch sie nimmt an, dass die Natur den letzten Keim dieser Wahrheiten in das menschliche Herz gelegt hat.

Die dritte Ansicht ist endlich eine formalistische. Sie fühlt die Bedenken, welche den beiden ersten Ansichten entgegentreten. Sie sucht denselben auszuweichen, indem sie lediglich einen Trieb in den

Menschen hineinlegt, ohne allen Inhalt. Scheinbar, meine Herren, ist dies die höchste unter den drei Ansichten; sie postuliert nichts, als was wir in der Natur sehen. Wie der Trieb der Selbsterhaltung die Quelle der Rechtssätze wird, die das Leben betreffen, so wird dieser sittliche Trieb der Grund aller sittlichen Wahrheiten. Meiner Ansicht nach beruht diese ganze Ansicht auf einer grossen Täuschung, auf einem dialektischen Kunstgriff, um einer unangenehmen Notwendigkeit auszuweichen. Ich kann mir keinen Trieb mit einem unbestimmten Inhalt denken; mit dem blossen Trieb haben wir gar nichts. Gestatten Sie mir, dies nicht weiter auszuführen; meine Ausführungen werden gegen alle drei Ansichten gleichmässig gelten. Jene Unterscheidung der Ansichten, die ich vorgeführt habe, hat nur literarhistorischen Wert.

Die Ansicht, welche ich hier zu bekämpfen gedenke, ist die, dass die Natur — ich hebe das Gemeinsame der Ansichten heraus — dem Menschen irgendeine Ausstattung speziell mitgegeben hat.

Das ist nun, wie ich glaube, nicht der Fall. Die Ausstattung, welche die Natur dem Menschen mitgegeben hat, das Sittliche zu finden, hat vollkommen ausgereicht; der Mensch aber hat die Grundsätze des Sittlichen im Laufe der Zeit unter dem Einflusse der Einwirkungen, denen er ausgesetzt war, gefunden. Aber auch ich bin geneigt, wird man mir sagen, auf die Natur zurückzugehen. Der Trieb der Selbsterhaltung führt zum Recht; hier haben wir also einen Trieb, der für die Entstehung der Rechtssätze wirksam wird. Allein das ist meiner Ansicht nach nur Schein; jener Trieb findet sich auch beim Tier; wollen wir dem Tier dieses blossen Triebs wegen auch sittliche Grundsätze zusprechen? In der Selbsterhaltung berührt sich die Natur; wenn das Recht, das die Welt des Sittlichen aufgerichtet hat, da ist, dann nimmt das Individuum mit seinem Recht und seiner Pflicht der Selbsterhaltung einen sittlichen Charakter an; aber bis dahin steht es auf derselben Stufe wie das Tier. Ich lehne also auch

diese Anknüpfung des Rechtsgefühls an die Natur ab. Nach meiner Ansicht ist das Rechtsgefühl, das sittliche Gefühl in dem Sinne, wie ich es hier meine, der Inhalt der rechtlichen und sittlichen Wahrheiten ein historisches Produkt; die Rechtssätze, die Rechtseinrichtungen, die sittlichen Normen sind nicht durch dieses Gefühl vorgeschrieben, sondern die Macht des Lebens, das praktische Bedürfnis, hat zu diesen Einrichtungen geführt, nachdem sie einmal da waren und ihren Reflex warfen. Da hat das Gefühl des Menschen diesen Inhalt erweitert, in einer Weise, wie ich das später darlegen werde.

Unser Rechtsgefühl also ist abhängig von den realen Tatsachen, die sich in der Geschichte verwirklicht haben; aber es geht über die Tatsachen hinaus, weil es eben das Konkrete verallgemeinert und zu Sätzen führt, die in den Einrichtungen nicht in dieser Weise enthalten sind. Ich habe somit den Gegeasatz der beiden Ansichten gekennzeichnet und wende mich jetzt einer Kritik derselben zu.

Ich werde die beiden Ansichten, die nativistische und die historische von einem dreifachen Standpunkt aus, vom Standpunkt der Naturbetrachtung, der Geschichte und von dem psychologischen Standpunkt unseres Innern aus vergleichen, und werde fragen, wie sich die Ansichten dazu verhalten.

Zuerst der Standpunkt der Natur. Ich nehme hier den Standpunkt der modernen Naturwissenschaft ein, dass die Natur eine einige Schöpfung ist, dass die Natur keine Widersprüche, keine Sprünge kennt, sondern dass ein Gedanke von Niederen bis zum Höchsten durchgeht. Wenn ich nun diesen Gedanken zugrunde lege und die beiden Ansichten prüfe, so tritt die nativistische Ansicht damit in Widerspruch; denn sie nimmt einmal den Trieb der Selbsterhaltung an, mit dem der Mensch ausgestattet ist, und sodann einen anderen Trieb, der jenem das Gegengewicht halten soll, den sittlichen Trieb. Hiernach hätte die Natur, von vornherein zwiespältig angelegt, in die eine Herzkammer den Egoismus, in die andere die Sittlichkeit

gegeben; das unglückliche Wesen! Hier lenkt es der Egoismus, dort die Sittlichkeit! Ich habe diese Ansicht einmal als das psychologische Zweikammersystem bezeichnet, und glaube, dass das vollkommen zutreffend ist. Ohne mich näher über den Wert des Zweikammersystems auszusprechen, werden wir dasselbe vom Standpunkt der Natur aus sicher verwerfen müssen.

Meine Ansicht dagegen erscheint mit der Natur vollkommen in Übereinstimmung. Die Natur hat den Menschen wie das Tier ausgestattet mit dem Egoismus; den Menschen aber auch mit dem Geist, und mittels dieser Kraft hat er im Laufe der Zeiten die ganze sittliche Weltordnung geschaffen.

Ich habe für meine Ansicht kein weiteres Postulat notwendig, als den menschlichen Verstand und die menschliche Erfahrung, die Gabe des Menschen, dass er durch die Erfahrung gewitzigt wird.

Mit dieser Begabung versehen, tritt er in die Welt; da merkt er bald, dass er sich gewissen Gesetzen fügen muss, wenn er mit anderen zusammenleben will; diese Erfahrungen sammeln sich, und so kommen schliesslich Grundsätze zum Vorschein, die sein Zusammenleben mit anderen betreffen. Es kommt also zum einzelnen hinzu die Gesellschaft mit ihren Anforderungen. Die Selbsterhaltung des Individuums repetiert bei der Gesellschaft.

Selbsterhaltung! Darunter verstehe ich nicht bloss die Erhaltung des äusseren Daseins, sondern die Selbstbehauptung. Dieser selbe Trieb der Selbsterhaltung repetiert in der höheren Region der Gesellschaft und aus diesem Trieb geht hervor das Sittliche, denn das Sittliche ist nichts als die Ordnung des gesellschaftlichen Wesens, wenn sie durch die äussere Macht des Staats aufrechterhalten wird, das Gesetz, wenn sie durch die Macht der Gesellschaft selbst, durch die Macht der öffentlichen Meinung behauptet wird. Dann nennen wir sie Moral, nennen sie Sitte. Alle diese Momente haben zum Zwecke das Bestehen, das Wohlbestehen, die Wohlfahrt der Gesellschaft. Ich

habe also einen Gedanken, mit dem ich die Entstehung des Sittlichen bestreite. Vom Individuum erhebt es sich bis zur Gesellschaft, und erst die Gesellschaft richtet an das Individuum die Forderung: Füge dich unseren Bedürfnissen, unseren Anforderungen. Mit der Gesellschaft beginnt das Sittliche. Das wäre meine erste Betrachtung.

Ich wende mich jetzt der Frage zu: Angenommen also, dieser Gegengrund existierte nicht, so würde es sich fragen: Ist es notwendig, von Standpunkte der Natur aus, dass die Natur den Menschen mit einer besonderen Begabung für das Sittliche oder mit einer Anleitung zum Sittlichen ausrüste? Und diese Frage will ich einmal ins Auge fassen. Wir müssen hier nicht die Grundsätze in der Allgemeinheit, wie es die Philosophen tun, fassen, sondern ich tue es als Jurist, d. i., ich verfolge diese angeblichen Wahrheiten zu ihren praktischen Konsequenzen, und das will ich mit zwei angeblich angeborenen Wahrheiten oder Rechtsprinzipien und Sitten tun: 》Du sollst nicht töten.《 》Du sollst nicht lügen.《

Denken wir uns also, die Natur hat den Menschen geschaffen, und die Ethik richtet jetzt an die Natur die Forderung: Rüste den Menschen aus mehr als das Tier, gib dem Menschen sittliche Prinzipien mit, gib ihm die wesentlichen Sätze mit, die er nötig hat, um mit anderen zusammenzuleben.

Wir nehmen nun an, die Natur hat es getan, und jetzt sehen wir uns den Mann an, der mit diesen Sätzen in die Welt geht. 》Du sollst nicht töten.《 — Da tritt ihm ein anderer entgegen, der sein Leben bedroht. Die erste Klippe für den Satz 》Du sollst nicht töten《. Wie soll er sich verhalten? Soll er den Satz befolgen? Sein natürliches Gefühl sagt ihm: Nein. Er behauptet sein Leben, und der Satz ist übertreten. Das wäre das erstemal, wo die Ethik ihre angebliche Wahrheit nicht aufrechterhalten konnte, wo sie zugestehen musste: hier lässt sich der Satz nicht durchführen.

Wir nehmen einen anderen Fall, der Mann wird mit dem Verluste

seines Vermögens bedroht, er hat kein anderes Mittel, als den Menschen, der ihm sein Hab und Gut zu entziehen sucht, zu töten. Darf er es tun? Dem obigen Satz zufolge dürfte er es nicht. Er tut es wiederum, und nun würde die Ethik, wenn sie für diesen Rechtssatz verantwortlich gemacht würde, dem allgemeinen Satz die sämtlichen Ausnahmen hinzuzufügen haben. Nach Art eines Kompendiums müsste es also im Text lauten: 》Du sollst nicht töten.《 Dieser Satz erleidet aber eine Reihe von Ausnahmen: 1.In der Notwehr darfst du töten; 2. — wie es bei den alten Völkern war — den Ehebrecher darfst du töten; 3. zur Verteidigung deines Vermögens darfst du töten; 4. kommt der Staat und fragt: Wie steht es denn mit meinem Rechte? Darf ich den Verbrecher hinrichten? Da zuckt die Ethik die Achsel: 》Ja, es geht einmal nicht anders.《 — Soll ich alle die Ausnahme aufzählen? Aber ich gestehe, wenn der Satz: 》Du sollst nicht töten《 eine absolute, dem Menschen angeborene Wahrheit sein soll, dann müssen auch die Ausnahmen dem Menschen angeboren sein. Also dieser Satz ist ad absurdum geführt.
Nehmen wir den zweiten Satz: 》Du sollst nicht lügen《 — eine sittliche Wahrheit zweifellos. Da nehme ich folgenden Fall: Eine Frau liegt auf dem Krankenbett, das Kind ist gestorben, sie erkundigt sich nach dem Kinde, soll der Mann die wahrheit reden?
Wenn er der Mutter den Tod des Kindes mitteilt, so ist ihr Tod unabweislich. Was sagt die Ethik? Ja, die grössten Ethiker befinden sich hier im Streit und über diesen einfachen Satz: 》Du sollst nicht lügen《 lässt uns unser angeborenes Gefühl im Stich. Wie viele derartige Lagen gibt es, in denen es zweifellos ist, dass der Mensch um einer sittlichen Pflicht willen nicht die Wahrheit sprechen darf. Es gibt Lagen im menschlichen Leben, wo von der Wahrheit der Untergang, der Tod von Hunderten abhängt. Ich habe in meinem neueren Werke solche Fälle angeführt. Auf einem Schiff, das in grosser Gefahr schwebt, ist es oft nötig, dass der Kapitän die wahre Lage

den Passagieren verheimlicht. Gesteht er, wie der Sache steht, so reisst Verwirrung unter den Passagieren ein, und die Gefahr für das Leben von Hunderten ist unvermeidlich.

Wenn in der Schlacht der Feldherr die Soldaten wissen lassen wollte, wie es mit der Schlacht stünde, so würde die Mannschaft entmutigt; gerade dadurch, dass ihr die Wahrheit verborgen wird, wird sie gerettet. Und das sollte nicht berechtigt sein? Also die Ausnahmen sind notwendig, und wenn die Natur uns alle diese Sätze — ich habe zwei hervorgehoben — in unser Herz eingeschrieben hätte, dann müsste sie zu jedem Satz eine ganze Menge Noten hinzufügen: das und das gilt aber unter diesen und jenen Beschränkungen nicht.

Ich habe die Sache zuerst so dargestellt, als wäre die Ethik bei der Schöpfung des Menschen zugegen gewesen und hätte die Natur gebeten, den Menschen mit all den Sätzen auszurüsten, Ich glaube nach den Erfahrungen, welche die Ethik mit diesen Sätzen gemacht hätte, würde sie selbst zur Natur zurückkommen: Mach du, wie du's machen willst; und ich glaube die Natur hat gewusst, wie sie's macht, und sie hat's richtig gemacht.

Die Natur hat das Gefühl gehabt, der Mensch, wie ich ihn geschaffen habe, der wird sich schon durchhelfen, der weiss, was er zu tun hat, der Mensch, der die Dampfmaschinen und den Telegraf erfindet, wird auch das Recht bilden und die sittlichen Grundsätze finden, ich verlasse mich auf mein Geschöpf, sieh nach 10 000 und 20 000 Jahren her, dann wirst du sehen, ob er die ethischen Grundsätze gewonnen hat. Das wäre nun vom Standpunkt der Natur das Resultat, mit dem ich abschliessen könnte.

Glücklicherweise finde ich auf meiner Notiz noch einen Einwurf, und hätte ich ihn übergangen, so würde ich ihn wahrscheinlich in den öffentlichen Blättern finden. Ich beuge also der Gefahr vor. Ich habe mir das Wort Instinkt notiert. Das hat einen gewissen Schein. Die Natur hat ja das Tier mit einem gewissen Instinkt ausgestattet.

Die Natur hat dem Tier eine besondere Begabung hier in der Tat gegeben. Bis vor vierzig Jahren konnte allerdings die frühere Philosophie den Instinkt als den Bundesgenossen für die Theorie des angeborenen Rechtsgefühls heranziehen, heutzutage aber sieht die Sache anders aus. Denn die Naturforscher sind bereits zu dem sicheren Resultat gekommen, dass der Instinkt nichts Angeborenes, sondern auch bei den Tieren das Produkt der Geschichte und der Erfahrung ist; dass auch das Tier die eigene Erfahrung und die der Gattung gesammelt und verwertet hat. Es sind da die sonderbarsten Erscheinungen beobachtet worden. Wir haben beispielsweise gesehen, wie ein Tier, das unter einem gewissen Himmelsstriche und unter gewissen Lebensbedingungen eine bestimmte Tätigkeit übte, bei veränderten Lebensmitteln, beim Wechsel des Landes und des Klimas, diesen angeblichen Instinkt der Natur verleugnet und sich den gegebenen Verhältnissen erst langsam, versuchsweise, dann besser und immer besser und schliesslich vollständig akkommodiert hat. Dann ist der Instinkt da; wer aber nichts kennt als den Abschluss dieses Entwicklungsprozesses, sagt natürlich, das hat die Natur dem Tier selbst mitgegeben. Nein! Das Tier, das von uns verkannte Tier, hat es gelernt; es hat seinen Verstand benützt und Erfahrungen gesammelt. Bei uns in Deutschland sind bei Einführung des Telegrafen eine Reihe derartiger Beobachtungen gemacht worden. Da haben in der ersten Zeit die Vögel an den Telegrafenstangen und Drähten zu Tausenden den sich ihre Köpfe zerstossen; scharenweise lagen die Vögel auf der Erde; nach einigen Jahren hatte das völlig aufgehört, die Vögel waren gewitzigt, und jetzt lehrt sie der Instinkt, die Telegrafenstangen und Drähte zu vermeiden.

Um noch ein Beispiel zu erzählen: An einem Punkte der Nordküste war ein Leuchtturm erbaut worden; da lagen die Zugvögel ebenfalls zu Tausenden unten. Im zweiten Jahr nur mehr Hunderte, im dritten kein einziger Vogel mehr; die Vögel nahmen einen anderen Kurs; sie

hatten gelernt und die Erfahrung verwertet. So weist die neue Zoologie eine Menge derartiger Tatsachen auf. Es ist jetzt zweifellos angenommen, dass der Verstand der Tiere in Verbindung mit der Erfahrung sie dahin geführt hat, das zu finden, was für ihr Leben nötig ist; von Instinkt ist keine Rede mehr; der Mensch aber kann nach der nativistischen Ansicht das nicht fertigbringen, was das Tier mit dem Verstand fertig bringt; ihm muss die Natur zuhilfe kommen, sonst wäre er nicht imstande gewesen, das für ihn Nötige zu finden. Ich glaube, Sie werden von dem Instinkt genug haben. Ich wende mich jetzt zu der Geschichte und betrachte beide Ansichten von ihrem Standpunkt aus.

Man pflegt für die nativistische Ansicht die Autorität der Geschichte anzurufen, indem man auf die Übereinstimmung der verschiedensten Völker in den wesentlichen Rechtsinstitutionen und in den sittlichen Ideen hinweist.

Uns Juristen ist das ganz geläufig, nachdem es ja auch die römischen Juristen tun. Ich will nun annehmen, dass diese Übereinstimmung in der Tat in dem Masse vorhanden ist, wie man es behauptet, aber ich frage: Ist der Schluss, dass diese Übereinstimmung nur auf dem Wege, welchen die nativistische Ansicht angibt, hat zustande kommen können, ein berechtigter? Alles, was notwendig ist, schlechthin oder auf einer gewissen Kulturstufe, findet sich bei allen Völkern. Die Völker haben überall die Schrift entdeckt, haben das Geld eingeführt; sind alle diese Einrichtungen etwa nur aus einem angeborenen Triebe zu erklären? Sie erklären sich vielmehr aus der Idee Zweckmässigkeit; es waren die zweckmässigsten Mittel, die durch den Zweck selber gegeben waren; nach vielen misslungenen Versuchen hat man endlich das Richtige gefunden, und zwar selbstverständlich bei allen Völkern. Dass das Metallgeld bei allen Völkern sich findet, ist so notwendig, dass, wenn der Mensch zehntausend Male erschaffen würde, nach einer gewissen Anzahl von tausend Jahren

das Geld überall wieder seinen Platz behaupten würde, und zwar in seiner heutigen Weise. Es würden wie heute verschiedene Geldsorten in verschiedenen Metallen sein; das Geld würde rund sein, schon deshalb, weil viereckige Geldstücke die Taschen zerschneiden würden, — ich möchte einschalten, dass das Geld bei den Chinesen allerdings eine andere Form hat, es sind aber auch Chinesen — das Geld würde ferner überall geprägt sein, weil das Wiegen zuviel Zeit erfordert. Bei den Kulturvölkern wird das alles stets notwendig so sein. Wenn also jene Übereinstimmung wirklich vorhanden ist, so berechtigt dies keineswegs zu dem Schluss, dass die Natur selbst dem Menschen etwa das Bild des künftigen Geldes vorgezeichnet oder ihm das Bild in die Seele gesteckt hätte. Diese Übereinstimmung ist aber in der Tat nicht vorhanden. Bis zu einem gewissen Grade ist sie bei den Kulturvölkern auf einer gewessen Stufe vorhanden; aber sehen wir uns das näher an.

Wenn einmal der Satz, die Natur hat uns unsere sittlichen Wahrheiten und Rechtsgrundsätze vorgezeichnet, ein wahrer sein soll, so muss er gelten für alle Völker, für alle Zeiten und alle Stufen; was die Natur getan hat, kann nicht bloss auf einer gewissen Kulturstufe vorkommen, sondern muss überall platzgreifen. Ebenso wie die Gesetze des menschlichen Denkens bei allen Völkern gleich sind, müssten auch die sittlichen Wahrheiten überall dieselben sein. Aber sehen wir uns den Wilden an. Man kann ja den Zustand eines Wilden in sittlicher Beziehung mit dem eines Kulturvolkes gar nicht vergleichen, und doch müsste sich eigentlich gerade bei dem Wilden die nativistische Ansicht in erster Linie verwirklichen; denn er, das Kind der Natur, steht ihr ja am nächsten; wo kann ich die Quelle reiner und unverfälschter zu finden hoffen, als gerade bei demjenigen, welcher der Quelle am nächsten steht? Und das ist ja der Wilde. Sowie der Storm erst später fremde Zusätze in sich aufnimmt und trüber wird

und nur an der Quelle rein ist, so müssten wir auch beim Wilden das Naturrecht, das wahre Recht finden, und bei uns Zivilisierten das getrübte Recht, aber es ist gerade umgekehrt. Wenn man den Verteidigern der nativistischen Ansicht mit den Wilden kommt, so heisst es: Wie kann man nur von den Wilden sprechen? Nur die Kulturvölker haben Autorität. Ja, für mich auch. Aber wenn man einmal die Natur als Meisterin erkennt, dann hat der Wilde von der Natur ganz dasslbe gelernt wie wir.

Aber sehen wir die Kulturvölker selbst an. Ich gestehe zu, auf einer gewissen Entwicklungsstufe sind die Rechtsanschauungen, sind die sittlichen Grundsätze im Wesen dieselben. Aber haben dieselben Völker dieselben sittlichen Grundsätze von jeher gehabt? Darauf lautet die Antwort: Nein. Selbst die grössten Völker haben Perioden durchgemacht, wo von der Sittlichkeit gar keine Spur war, und, verstatten Sie mir, Ihre Aufmerksamkeit dieser Epoche zuzuwenden. Ich verstehe darunter jene historische Epoche, in welcher bereits eine gewisse Kultur heimisch war, und ich will den Nachweis führen, dass der Gegensatz des Sittlichen und Unsittlichen damals nicht vorhanden war. Ich könnte den Beweis zunächst aus der Geschichte nehmen, indem ich Sie verweise auf die Greuel der Urzeiten, die uns zum Teil überliefert sind. Selbst in der deutschen Geschichte kann ich auf die Zeit Chlodwigs zurückweisen, auf die Greuel, die in seinem Hause geschehen sind, und man wird sagen müssen, die sittliche Idee kann damals nicht dieselbe Kraft gehabt haben wie heute. Ich lasse aber dieses Argument fallen, ich will auch die Sage fallenlassen, aber ich will Ihnen zwei untrügliche Zeugnisse vorführen: die Sprache und die Mythologie. Die Sprache ziegt uns, dass die sittliche Idee relativ später gewesen ist. Zahlreiche Ausdrücke waren ursprünglich sinnlicher Art, bezeichneten etwas Sinnliches und wurden erst später auf das Sittliche übertragen; so die römische virtus, die spätere Tugend, ursprünglich Männlichkeit, Kraft Mut; so die griechi-

sche *αρετή*, ursprünglich Tauglichkeit, Brauchbarkeit, später Tugend; ebenso unsere deutsche 》Tugend《, taugen, Tauglichkeit, Brauchbarkeit; dasselbe ist, wie mir mitgeteilt wurde, im Südslavischen der Fall, wo der Ausdruck für Kraft, Stärke zugleich der Ausdruck für Tugend ist. Ähnlich verhält es sich mit dem Gegensatz von gut und böse, den wir im sittlichen Sinne nehmen, während sich mehrfach nachweisen lässt, dass der ursprüngliche Gegensatz ein rein sinnlicher war. Aber in erster Linie kann ich auf das Zeugnis der Mythologie mich berufen. Sie werden mit mir darüber nicht im Zweifel sein, dass die Mythologie eins der sichersten, untrüglichsten Zeugnisse über die ursprünglichen sittlichen Anschauungen der Völker ist. Meiner Ansicht nach könnte man die Mythologie als die älteste Versteinerung des Sittlichen bezeichnen, in den Göttergestalten sind die beredten Zeugen des ältesten Volkslebens versteinert, in ihnen ist die ganze sittliche Anschauung des Volkes vorhanden. Und wenn wir nun von diesen Göttern Zeugnis verlangen — ich nehme vorerst die griechischen Götter — und wenn wir sie fragen: Wie steht es denn mit der Sittlichkeit?, ich glaube nicht zuviel damit zu sagen, dass, wenn die griechischen Götter heute unter uns erschienen und ihr Wesen bei uns treiben wollten, sie in wenigen Tagen mit der Staatsanwaltschaft und Polizei in die unangenehmste Berührung kommen würden, und die olympischen Götter würden sich bald allesamt im Zuchthaus zusammenfinden. Ich brauche hier die Züge der griechischen Götter nicht anzuführen, ich habe die Götter auf ihren sittlichen Gehalt geprüft, ich habe ihn nicht gefunden, und ich würde heutzutage Anstand nehmen, mit einem Menschen umzugehen, der bei den Griechen ein Gott gewesen. Ja, wir erklären wir das? Es ist doch undenkbar, dass die Völker ihre Götter in einer Weise gebildet haben, die ihnen selbst anstössig gewesen wäre. Woher kommt das? Weil das sittliche Bewusstsein im Volke noch nicht erwacht war. Als später das sittliche Bewusstsein erwachte, da stellte sich der klaffen-

de Riss heraus zwischen dieser Zeit und der alten, es wurden Anklagen gegen die Götter laut, wie bei Sophokles, Euripides, Klagen über Hartherzigkeit und Unbarmherzigkeit der Götter, und die griechische Religion ist daran zugrunde gegangen, dass die Götter aus einer Zeit stammten, wo das sittliche Bewusstsein noch nicht erwacht war. Die Menschen waren vorgerückt, die Götter waren geblieben, und der Mensch, der früher hinaufschaute zu den Göttern, der schaute jetzt herab auf sie, die Götterwelt war dem Untergang geweiht. Die römischen Götter waren es nicht, sie waren keine Menschen, sie waren nackte Begriffe und Begriffe sündigen nicht, das Sündigen ist das Vorrecht des Menschen.

Wenn ich mir nun das Bild dieser Zeit — ich möchte sie die Periode der Indifferenz des Sittlichen nennen — ausmale, so frage ich: Was stellte denn den Menschen damals hoch in der Achtung seiner Genossen?

Edelmut, Sittlichkeit, Frömmigkeit? Einen solchen Menschen hätte man nicht verstanden, für einen Toren gehalten. Was den Menschen hochstellte, waren Kraft, Stärke, Mut und neben diesen die Kraft des Geistes, die List. Das sind die beiden Güter. Wo die physische Kraft die Herrschaft führt, da bildet die List die natürliche Waffe des Schwachen, und Sie treffen in dieser Zeit diese beiden Typen nebeneinander, neben Achilles und Agamemnon den Ulysses, und selbst in der Götterwelt neben Jupiter den Merkur und neben Wodan den Loki.

Um sich der Macht zu erwehren, bedient man sich der List, des Truges, für die allein jene Zeit das Verständnis hatte. Nun kommt ein interessanter Zug dazu, das ist die Rache. Aus allen Überlieferungen dieser Zeit atmet der Geist der Rache, Rache bei den Göttern, und zwar sogar unmenschliche Rache, so z. B. die Rache der Leto, die die Kinder der Niobe töten lässt, die Rache des Jupiter an Prometheus, die des Neptun an Ulysses usw. Ich nehme aber die

Menschen an, und da ist es interessant, dass die zwei oder eigentlich drei Epen, die beiden der Griechen und das deutsche auf dem Gedanken der Rache beruhen. Der erste Teil der Ilias enthält die Rache des Achilles gegen Agamemnon wegen des Raubes der Briseis, und im zweiten Teil, der beginnt, wie er seine Rachelust nach der Niederlage der Griechen gestillt hatte, erwacht, nachdem sein Freund Patroklus von Hektor erschlagen ist, die Rachsucht gegen Hektor, und diese endet damit, dass er unbarmherzig den Leichnam Hektors um die Stadt schleift. So ist in der Ilias und ebenso ist es in der Odyssee, die in beiden Teilen die Rache behandelt, zuerst die Rache des Poseidon an Odysseus, die letzterer nicht verschuldet hatte, da ja seine Gefährten die Rinder ermordet hatten; aber dem Gotte gilt das gleich, er rächt sich und treibt ihn unbarmherzig über die See. Der zweite Teil enthält wieder die Rache des Ulysses an den Freiern und den Mägden im Hause. Die Rache ist das Endresultat beider Epen. Ebenso ist es im Nibelungenlied, dessen beide Teile ebenfalls von der Rache handeln, von der Rache der Brungild und von der Rache der Kriemhild. Also immer und überall die Rache! Das sind die Gedanken jener Zeit. Diesen Gedanken soll man die Gedanken der Liebe, Wohltätigkeit usw. entgegensetzen! Das ist diese Periode.

Nun verstatten Sie mir, dass ich eine Bemerkung hinzufüge. Wir entsetzen uns oft, wenn uns aus diesen Zeiten die Züge unmenschlicher Grausamkeit, der Gewalttätigkeit dargestellt werden, und mit Recht würden wir es entsetzlich finden, wenn die damaligen Leute unsere sittlichen Gefühle gehabt hätten. Aber gerade das, was uns diese Untaten so entsetzlich macht, dieser starre, frevelhafte Charakter, fehlte in den Augen jener Zeit. Diese Zeit, die ich im Auge habe, stand den Untaten gegenüber etwa wie den Taten gegen ein wildes Tier. Wie der Löwe seine Beute zerfleischt, so ist es bei dem Mächtigen gegen den Niederen. Es ist ein physischer Vorgang. Aber gerade der Stachel des erlittenen Unrechtes, des Unsittlichen fehlte,

und dafür, dass er fehlte, hat die Natur eine Kompensation gegeben, gegen die Greuel, die hier geschehen sind. Wenn Sie sich fragen, ja warum denn diese Greuel?, so sage ich Ihnen als Antwort, auch die Greuel waren nötig. Denn das ist die Periode, wo der menschliche Wille von der Geschichte erst hat vorbereitet werden müssen auf die kommende Zeit des Sittlichen. Da hat der Trotz, die Unbändigkeit des Willens mit Gewalt, mit Skorpionen und mit eisernen Ruten gebeugt werden müssen, damit die Menschen auf die Sitte vorbereitet werden. Und jenen Unmenschen, von denen uns die Geschichtekunde gibt, lege ich eine Bedeutung bei für die Entwicklung des Sittlichen auf Erden. Sie haben den rohen Menschen gebändigt und geschlagen, damit er reif werde. Gestatten Sie, dass ich bei der Geschichte noch eines hinzufüge. Ich habe Ihnen diese Periode als die Periode der Indifferenz des Sittlichen bezeichnet, wo der Gegensatz des Sittlichen und Unsittlichen noch nicht vorhanden war.

Später stellt sich dieser Gegensatz zwischen sittlich und unsittlich heraus, aber, es ist höchst charakteristisch, nicht als ein, wie wir glauben würden, schlechthinniger, so dass das, was gegen den einen unsittlich ist, auch gegen den andern unsittlich wäre, sondern, das ist das Merkwürdige, unsittlich und rechtswidrig ist eine Handlung gegen den Genossen, der mit mir zu derselben Gemeinschaft gehört, aber gegen jeden, der nicht zur Gemeinschaft gehört, ist die Handlung keine unsittliche. Bekanntlich ist nach römischem Rechte der Fremde völlig rechtlos. Der Römer kann den Fremden, der keiner befreundeten Nation angehört, selbst sich zu eigen machen, seine Sachen nehmen; der Mensch ist rechtlos.

Dieselbe Auffassung treffen wir bei allen Völkern; gegen den Fremden ist alles erlaubt, und da führe ich als Beispiel an einen Vorfall, der oft einer ganz ungerechten Beurteilung ausgesetzt wird, das ist der von Moses, wie die Juden Ägypten verlassen und er ihnen rät, sie sollen von den Ägyptern goldene und silberne Gefässe mitneh-

men. Nach unserem jetzigen Gefühl wäre das verwerflich, aber man muss sich in die damalige Zeit versetzen. Die Auffassung jener Zeit ging dahin, dass man den Fremden einfach betrügen könne.

Aus dem, was ich angegeben habe, wird sich auch ergeben, wie ich die Fälle im Alten Testament beurteile, wo derartige Betrugsfälle vorkommen, wie bei Jakob und Laban usw., Fälle, die in jener Zeit ganz natürlich, bei uns aber anstössig sind.

Gestatten Sie, dass ich ganz kurz an das erinnere, was ich angegeben habe, Ich habe beide Ansichten betrachtet und kritisiert, einmal vom Standpunkt der Natur, sodann vom Standpunkt der Geschichte aus.

Ich wende mich jetzt zum dritten Standpunkt, unserem eigenen Inneren. Für mich, ich muss das selbst gestehen, hatte dieser Grund in der früheren Zeit am meisten überzeugende Kraft. Ich fühlte in mir eine Stimme, die mir sagte, das ist Recht, das ist Unrecht. Ich habe nie geglaubt, dass ich je zur Ansicht kommen würde, dass der Inhalt des Gewissens auch historisch ist.

Erschrecken Sie nicht davor, ich werde mich rechtfertigen. Ob die theoretische oder praktische Wahrheit, an die wir glauben, durch die Natur uns gegeben ist oder durch die Geschichte, was verschlägt es? Und was macht es, wenn unser Gewissen, das uns verkündet, was gut und schlecht ist, auf historischem Wege entstanden ist, d. h., wenn der Gegensatz dessen, was gut und böse ist, erst im Laufe der Zeit erkannt worden ist, wie ja auch die biblische Schöpfungsgeschichte annimmt, die, beiläufig gesagt, im Zustand des Paradieses die Periode der Indifferenz des Sittlichen widerspiegelt; wenn dieser Gegensatz erst da ist, was releviert für eine Macht, die dieses Innere über uns ausübt? Auch das Christentum ist erst im Lauf der Zeiten offenbart worden; aber niemand wird deshalb seine Macht geringer schätzen, weil es nicht von Anfang an dagewesen ist. So ist es auch mit unserem sittlichen Gefühl; mag es erst im Laufe der Zeit ent-

standen sein, mag es immer dagewesen sein, die Autorität leidet nicht den mindesten Abbruch, wenn es sich nach und nach gestaltet. Diese Ansicht, dass das sittliche Gefühl oder Gewissen, oder wie man es nennen will, das Rechtsgefühl uns angeboren sei, beruht auf Täuschung: Sie beruht darauf, dass wir die allmähliche Bildung dieses Gefühls in uns nicht beobachten können. Aber auch hier bediene ich mich wieder einer Parallele aus der Naturwissenschaft. Die frühere Naturwissenschaft nahm an, dass gewisse Prozesse im Körper: Verwesen, Verschimmeln, Zersetzen usw. aus inneren Ursachen geschehen, von innen heraus eingeleitet werden. Die neuere Naturwissenschaft hat nachgewiesen, dass sie von aussen eingeleitet werden durch die Sporen, die in Millionen und Milliarden in der Luft schweben. Und ebenso, sage ich, ist es mit unserem sittlichen Gefühle. In der sittlichen Luft die uns umgibt, schweben, wenn ich mir gestatten darf, den Vergleich beizubehalten, diese sittlichen Sporen in Millionen, und das Kind atmet sie ein bei seinem ersten Atemzug. Es atmet sie ein, indem es aus dem liebevollen Auge der Mutter, die das Kind anblickt, zuerst in Beziehung zum Sittlichen tritt, es tritt in Beziehung zum Unsittlichen bei der hartherzigen Wärterin. Und wenn man verfolgen könnte, wie derartige Einwirkungen stattfinden, so würde man, glaube ich, erschrecken, wenn man sieht, wie oft Kinder derartigen Einflüssen preisgegeben werden. Ich glaube, dass die Misshandlungen einer Wärterin das Schicksal eines Kindes, den Charakter desselben für sein ganzes Leben auf dem Gewissen haben können. Das sind geheimnisse, die man im einzelnen nicht nachweisen kann, von deren Dasein ich aber so fest überzeugt bin, wie von etwas. Wenn ich mich selbst beobachte, so kann ich bei manchen Ereignissen meines Lebens nachweisen, dass sie einen ganz bestimmten Eindruck auf mich ausgeübt haben. Aus meinen Kinderjahren kann ich mich einiger Vorfälle erinnern, die mir unvergesslich geblieben sind. Verlegen Sie diese Vorfälle in die Kinderzeit, so werden

Sie zugestehen, dass man es nicht nachweisen kann, aus welchen Elementen wir diese sittliche Nahrung beziehen. Wir beziehen sie aber zweifellos von aussen. Der Beweis dafür liegt darin, dass diese sittlichen Anschauungen nach der Umgebung verschieden sind. Das Kind des Wilden hat andere sittliche Anschauung als unseres, das Kind in der frommen Familie andere wie das Kind in der Verbrecherfamilie. Woher kommt denn das? Das kommt daher, dass das eine Kind die böse, ein anderes die gute Luft einatmet. Wenn das Kind herangewachsen ist, vielleicht 6 bis 7 Jahre zählt, so ist der sittliche Mensch bereits in seinem Wesen gegeben, das ist also die allmähliche Bildung des Sittlichen. Aber jetzt muss ich doch noch erklären, wie es zugeht, dass unser Rechtsgefühl, wenn es seine Nahrung von aussen, von den Rechtssätzen und Einrichtungen, die aufgestellt sind, bezieht, schliesslich denselben überlegen wird. Es bezieht seine Nahrung von ihnen, und doch geht es über dieselben hinaus. Eine zweifellose Tatsache ist es, dass unser Rechtsgefühl sich oft den Rechtseinrichtungen widersetzt, dass wir uns im Widerspruch mit diesen Einrichtungen fühlen. Woher kommt dieser Widerspruch, wenn unser Rechtsgefühl nichts ist als Produkt der Rechtsordnung, die uns umgibt? Und darauf antworte ich, das beruht auf jenem Abstraktionsvermögen des menschlichen Geistes, ohne das wir uns den Menschen gar nicht denken können, das bei jedem einzelnen Vorfall etwas abstrahiert. Worauf anders als auf diesem Abstraktionsvermögen beruht es, dass die Kinder die Sprache lernen, dass die Kinder wissen, was dieser oder jener Ausdruck bedeutet, dass die Kinder die Haustiere, die Blumen und andere Sachen unterscheiden können? Wer hat das Kind gelehrt, die Sachen zu unterscheiden? Niemand. Das Kind hat die Namen gehört, dieses Tier hat es Hund nennen gehört, das andere Katze. Das ist alles. Was tut nun das Kind? Das Kind abstrahiert, nämlich unbewusst, die Merkmale des Hundes, es absrtahiert die Merkmale der Katze, und nach einiger

Zeit weiss das Kind die beiden Tiere nach abstrakten Merkmalen zu unterscheiden. Ebenso verhält es sich mit der Sprache. Das Kind dekliniert, konjugiert, ohne dass irgend jemand ihm die abstrakten Regeln dafür gegeben hätte. Woher hat das Kind diese Regeln? Es abstrahiert sie sich aus den Worten, die es hört, und das schwache Kind vollbringt hier eine geistige Arbeit, die geradezu erstaunenswert ist. Das ist, möchte ich sagen, der Herakles in der Wiege. Vor dem Kind, das in dieser Weise abstrahiert, die Unterscheidung der Regeln sich erringt, habe ich mehr Ehrfurcht in bezug auf den menschlichen Geist, wie vor den grössten Taten des menschlichen Geistes. Das ist also das Abstraktionsvermögen. Dieses ist in manchen Menschen und bei manchen Völkern geringer, bei anderen in höherem Masse entwickelt. Bei manchen Menschen dient der Geist nur dazu, eine Vorratskammer zu sein. Da wird der Stoff hineingepackt wie in eine Scheune und wird bei Gelegenheit wieder herausgefahren. Er kommt so wieder heraus, wie er hineingefahren ist, unverändert, nicht verschlechtert, nicht verbessert. Es ist das Heu, das hineingeführt wurde, das jetzt wieder herausgefahren wird.
Bei anderen ist der Geist eine Werkstätte. Da wird der Stoff hineingeführt und vielleicht bleibt nichts von ihm übrig, verflüchtigt sich alles. Wo ist er denn geblieben? Er ist in Abstraktion verwandelt. Wie das zugegangen ist, weiss der Mann oft selbst nicht. Aber der Stoff, der eingeführt ist, hat nicht tot gelegen, sondern im Gegenteil, in diesem Geiste ist er lebendig geworden. Das sind produktive Geister. Da arbeitet es drinnen und da wird der Stoff verarbeitet, manchmal auch ohne Wissen des Menschen selbst. Das geschieht unbewusst, oft in der Nacht.
Ich habe mich oft mit Problemen beschäftigt, derer Lösung ich bei Tag schlechterdings nicht finden konnte, oder ich habe die Formulierung eines Gedankens vergebens gesucht. Mit aller Mühe und Anstrengung konnte ich nichts finden, und da bin ich oft des Nachts

aufgewacht und habe den treffenden Ausdruck, die richtige Lösung gefunden. Ich habe mich gefragt, woher ist denn das gekommen, dass ich jetzt bei Nacht ohne Anstrengung etwas gefunden habe, was ich des Tags bei aller Anstrengung nicht habe finden können?
Es ist klar, dass hier im Inneren des Geistes eine Tätigkeit hat vor sich gehen müssen, von der wir keine Ahnung haben; der Geist muss arbeiten, selbst wenn der Mensch sich dessen nicht bewusst ist. Es ist das so, wie zwei Stoffe, die zueinanderkommen, eine chemische Verbindung eingehen. Auch wenn der Mensch nicht will, sie arbeiten, sie verbinden sich; und so ist es mit den Gedanken, im lebendigen Geist; in dieser Werkstätte wird unausgesetzt gearbeitet und kommt immer etwas Neues zum Vorschein.
Darauf beruht jeder Fortschritt in der Wissenschaft und jeder Fortschritt unseres Urteiles im Leben. Woher haben wir unser Urteil über Personen? Den Massstab haben wir selber uns gebildet. Mit Absicht? Sicherlich nicht. Wir haben ihn abstrahiert; der Massstab ist in uns entstanden. Diese unbewusste Tätigkeit des Abstrahierens bewirkt es, dass das Rechtsgefühl vor den Rechtssätzen, welche in unsern Einrichtungen verwirklicht sind, voraus ist. Die Zeit müsste nicht so vorgerückt sein, als sie ist, wollte ich alle Beispiele anführen, die ich mir notiert habe. Ich gedenke meinen Vortrag in erweiterter Gestalt herauszugeben, und da werde ich eine Reihe von Beispielen anführen. Möge denn hier statt allen ein einziges genügen.
In Rom war der Diebstahl selbstverständlich verboten, aber das hinderte nicht, dass nach dem Tode einer Person jeder Beliebige aus der Erbschaft nehmen konnte, was er wollte. Das galt nicht als Diebstahl; es war ja kein Eigentümer da. In einer späteren Zeit aber wurde dies verboten, und zwar sogar kriminell. Wie ist das gekommen? Antwort: durch Abstraktion des Rechtsgefühles. Der Satz: Du sollst nicht stehlen war lediglich nur gegenüber dem Eigentümer vorhanden. Warum — so war der Übergang — nur wenn der Eigen-

tümer da ist? Der künftige Erbe hat ja auch ein Recht an den Sachen; also: Was dem einen gegenüber nicht erlaubt ist, darf es auch dem anderen gegenüber nicht sein. So gäbe es eine Menge Beispiele. So behauptet also das Rechtsgefühl eines Volkes und so häufig auch das Rechtsgefühl des gebildeten Individuums — ich nehme in der Wissenschaft an, des Juristen — einen Vorsprung vor dem Rechte, vermöge dessen man die Träger desselben und das Recht selber meistern kann, indem es sagt: Du ziehst nicht die Konsequenz deiner Grundsätze; du hast Grundsätze aufgestellt, aber in zu enger Fassung, die letzten Konsequenzen hast du nicht gezogen, die musst du ziehen. Ich habe einmal diesem Gedanken an einer Stelle folgenden Ausdruck gegeben: Es ist die Tochter, die ihre Mutter meistert, an ihre eigenen Lehren erinnert; die Lehren, welche die Mutter der Tochter gegeben hat, wendet diese jetzt auf andere Fälle an. So bezeichnet das Rechtsgefühl für ein entwickeltes Volk in der Tat den Pionier des Fortschrittes; aber dieser Pionier hat nicht so leichte Arbeit. Das blosse Rechtsgefühl bringt es allein nicht fertig, die Verwirklichung von Rechtssätzen, die tief ins Leben einschneiden, herbeizuführen. Die Geschichte zeigt, dass es in der Regel noch der Mitwirkung praktischer Motive bedarf, um die Forderungen des Rechtsgefühls zu realisieren. Wer dies in der Geschichte verfolgt, wird finden, dass die wichtigsten Neuerungen bei den neueren Völkern, auch wenn sie längst als Postulat des Rechtsgefühls erhoben worden waren, in der Regel erst in schweren Zeiten durchgesetzt worden sind, sei es bei Kriegen, sei es bei gesellschaftlichen Bewegungen; kurzum, es hat noch immer dieses praktischen Druckes und der Nötigung bedurft, um die Forderungen des Rechtsgefühls zu realisieren.

Gestatten Sie mir, bevor ich meinen Vortrag schliesse, noch einige Worte. Ich glaube nachgewiesen zu haben, dass von den angeführten drei Ansichten nur die historische allein die Probe vom Standpunkt

der Naturwissenschaft, der Geschichte und der Psychologie in Bezug auf die Bildung des Rechtsgefühls bestehen kann. Ich muss aber auf Widerspruch gefasst sein, und ich wünsche denselben. Es stünde schlimm um die Wissenschaft, wenn es einer neuen Ansicht leicht gemacht würde, den Sieg zu erringen. Der Sieg soll ihr vielmehr möglichst erschwert werden, und das wünsche ich auch für die meinige. Ich werde es wohl nicht erleben, dass meiner Ansicht der Sieg zuteil wird, aber ich werde mit der Überzeugung sterben, dass dieser Ansicht die Zukunft gehört, so fest bin ich von der Wahrheit derselben durchdrungen. Es wird einmal eine Zeit kommen, wo diese meine Ansicht ihren Platz behaupten wird; ich weiss, bis dahin ist's noch lange, aber ich wünsche dies, damit die Frage nach allen Seiten ernst erwogen werde. Das Resultat aber glaube ich erreicht zu haben und werde es zu erreichen suchen durch die Schrift, welche ich zu veröffentlichen gedenke, dass fortan die Wissenschaft, die berufen ist, diese Frage zu prüfen, die Rechtsphilosophie, derselben nicht mehr aus dem Wege gehen wird, wie sie es bisher getan hat, und einfach die Vernunft als die Quelle aller Wahrheiten annimmt, sondern Rede und Antwort steht gegenüber meiner Alternative: Natur oder Geschichte. Ich glaube dieser Wissenschaft einen Stein in den Weg gewalzt zu haben, den sie entweder hinwegheben oder vor dem sie umkehren muss, um ihn herumgehen darf sie nicht. Und wenn sie das tun würde, setzte sie sich dem Vorwurf der Unwissenschaftlichkeit aus. Wie in der Geschichte für jeden Historiker die erste Frage nach den Quellen lautet, so muss auf dem Gebiet der Rechtsphilosophie die erste Frage sein: Woher nehmen wir den Inhalt alles dessen, was wir verkünden? Wir sprechen von Vernunft, heisst das angeborene Vernunft oder geschichtliche Vernunft?

Ich sehe voraus, dass gegen meine Ansicht ein Vorwurf wird erhoben werden, der nicht selten ist, wenn man einer neuen Ansicht nicht mit wissenschaftlichen Mitteln entgegentreten kann. Man wirft

ihr nämlich dann vor, sie sei praktisch gefährlich und unmoralisch. Ich halte es nicht für unmöglich, dass dieser Vorwurf auch gegen meine Ansicht erhoben wird. Da berufe ich mich aber auf die Ähnlichkeit dieses Verhältnisses mit dem Christentum. Mit demselben Rechte, mit dem wir dem Christentum nicht den Vorwurf machen, dass es erst zu einer Zeit erschienen ist, wo die Menschheit dafür reif war, mit demselben Recht dürfen wir auch dieser Theorie des Sittlichen nicht den Vorwurf machen, dass sie den Menschen erst zum Sittlichen gelangen lasse, wenn er für dasselbe reif ist. Ist er aber wirklich zu derselben gelangt, dann ergibt sich gerade vom Standpunkt dieser Ansicht eine viel höhere Sicherheit des Sittlichen. Denn vom nativistischen Standpunkt aus kann man das Sittliche nur damit begründen: Es ist so, es ist kategorischer Imperativ, und dabei bleibt es, Nach meiner Ansicht aber ist überall das Letzte der Grund, der Zweck, und da öffnet sich der Wissenschaft eine unendliche Perspektive. Ich bedauere, dass ich nicht noch jung bin, um in dieser Richtung arbeiten und nachweisen zu können, wie der Zweck so das Sittliche wie das Rechtliche zum Vorschein gebracht hat. Meine Ansicht eröffnet der Wissenschaft ein grosses, fruchtbares Feld, ich behaupte aber ferner, dass meine Ansicht allein die Möglichkeit einer gerechten Beurteilung der Geschichte in sich schliesst. Die nativistische Theorie kennt nur einen unveränderten Kanon des Sittlichen, die Vergangenheit ist ihr unsittlich. Aber es wäre verkehrt gewesen, in jene Zeit unsere sittlichen Grundsätze zu verpflanzen, wie wenn man eine Pflanze, die die Wärme des Sommers verlangt, in die kalte Winternacht hinaussetzen wollte. Wenn der Frühling kommt, dann mag sie ins Freie gesetzt werden, dann gedeiht sie, zu früh hinausgesetzt, stirbt sie.

Und schliesslich, welcher Blick in die Zukunft öffnet sich nach meiner Ansicht? Nach der nativistischen Ansicht ist alles fertig, ein Kanon für ewige Zeiten — nach meiner Ansicht ein ewiger Fort-

schritt. Wie wir auf die vergangene Zeit zurückblicken, wie wir heute staunen, dass Weise wie Platon und Aristoteles die Sklaverei zu rechtfertigen vermochten, so wird — ich bin fest überzeugt — eine kommende Zeit auf uns herabsehen, in unseren Anschauungen, in unseren Einrichtungen manches ebenso verwunderlich finden, wie wir in denen früherer Zeiten; aber das Unvollkommene ist die notwendige Voraussetzung des Vollkommenen. Und so wird über uns hinaus eine weite Zukunft des Sittlichen und des Rechtes sich öffnen, und ich glaube, mit dem Satz schliessen zu können: Der Fortschritt unseres Sittlichen, das ist die Quintessenz der ganzen sittlichen Idee, das ist Gott in der Geschichte.

(1884)

9　アドルフ・メルケル著『ルドルフ・フォン・イェーリング論』

〈原典資料〉

9　アドルフ・メルケル著『ルドルフ・フォン・イェーリング論』

Rudolf von Jhering.

Von

Adolf Merkel,

Professor in Straßburg.

Abdruck aus Jherings Jahrbüchern für die Dogmatik des heutigen römischen und deutschen Privatrechts. XXXII. Bd. N. F. XX.

Jena,

Verlag von Gustav Fischer.

1893.

Die erschütternde Nachricht von Ihering's Tode erreichte einen Theil seiner Freunde, als sie noch unter dem unmittelbaren Eindrucke des heiteren Festes standen, das er auf der Wilhelmshöhe, von ihnen umgeben, in alter Frische und Lebendigkeit gefeiert hat, und die Wirkungen beider Ereignisse, durch ihr Zusammentreffen vertieft, verknüpfen sich bei ihnen für immer mit seinem Andenken.

Jenes Fest — das fünfzigjährige Doktorjubiläum — schloß ein reiches Maß von Freude für den Gefeierten in sich. Am Ziel seiner Bahn erscheint es als der harmonische Ausklang eines schaffensfrohen und durch alle menschlichen Affekte mannigfach bewegten Lebens, als eine leuchtende Abendröthe, der die Nacht jählings gefolgt ist. Ihering gehörte zu den Glücklichen, welche mit Goethe von sich sagen konnten: was ich in der Jugend wünschte, das habe ich im Alter die Fülle. Die Anerkennung seines Wirkens, die ihm aus Anlaß seines Jubiläums hundertfältig in erfreulichsten Formen zu Theil ward, bekräftigte in ihm das Gefühl hiervon und erhob ihn auf jene Höhe von Befriedigung und Glücksempfindung, von welcher

die Lieblinge der Götter von diesen abgerufen zu werden pflegen.

Sein Arbeitsprogramm freilich hat er nicht erschöpft. Die Erfüllung desselben — die Vollendung des „Geistes", des „Zwecks im Recht", der begonnenen Rechtsgeschichte — würde wohl noch ein zweites Leben von ähnlicher Dauer in Anspruch genommen haben. Jhering blieb der Jüngling, der mit tausend Masten nach weitest gesteckten Zielen auszieht, diese aber sich bald entschwinden sieht, weil jeder Punkt des Stromgebietes, in dem er sich befindet, seine Aufmerksamkeit fesselt, Nebenflüsse ihn locken, sie stromaufwärts zu verfolgen, die Fülle des Lebens an ihren Ufern ihn zum Verweilen, ihr reiches Hinterland ihn zu Forschungsexpeditionen einläd.

Indessen hat die Art seines Geistes sich ausgesprochen und auf die wissenschaftliche Bewegung den ihr gemäßen Einfluß gewonnen. Trotz der Nichtvollendung jener Arbeiten ist daher sein Lebenswerk kein bloßes Stückwerk, es repräsentirt den ganzen Mann in der Fülle seiner Kräfte.

Dieses Werk einer abschließenden Beurtheilung unterwerfen zu wollen, wäre heute verfrüht. Aber beim Ausscheiden eines solchen Mannes aus unserem Kreise drängt sich das Bedürfniß auf, seine Persönlichkeit und das Ganze ihrer Leistungen uns in möglichster Klarheit zu vergegenwärtigen, und unwillkürlich suchen wir uns wenigstens eine vorläufige Rechenschaft zu geben über die Stellung, welche ihm in der Geschichte der Wissenschaft und in der Walhalla ihrer vom Leben getrennten Helden zukommt. Und im Sinne einer solchen vorläufigen Orientirung will ich hier von ihm sprechen.

Von dem Manne und seinem Werke. Wie sehr gehören Beide zusammen! Wer dieses beschreibt, der charakterisirt damit zugleich die Persönlichkeit, und wer die Persönlichkeit

charakterisirt, der giebt damit den Schlüssel für jenes. Ihering's literarische Arbeiten sind die fortschreitende Entfaltung seines Wesens auf theoretischem Gebiete.

Seine Persönlichkeit war so eigenartig und zugleich so lebensvoll und energisch wirkend, daß er in jedem Kreise, in welchen er eintrat, alsbald auf dessen Stimmungen und Gedanken einen erkennbaren Einfluß ausübte und sich zu einem Mittelpunkte sympathischer, nach Umständen auch einander widerstreitender Empfindungen erhob. Seltene Wärme des Wesens, Geselligkeit, redlicher Wahrheitssinn, neidlose Anerkennung fremden Verdienstes und die Fähigkeit lebhafter Antheilnahme an fremdem Geschick, vor allem am Wohl und Wehe seiner Freunde, warben ihm Zuneigung; Unterhaltungsgabe, Beredsamkeit, reicher Humor, unverwüstliche Frische und ein Talent zur Initiative in hunderterlei Angelegenheiten fesselten das Interesse, während sein impulsiver Charakter, der unbefangene Ausdruck seines Selbst- und Werthgefühls, seine Reizbarkeit dem Widerspruch gegenüber und die rückhaltlose Geltendmachung seiner Ueberzeugungen ihm manche Gegnerschaft eintrugen. Dem Beobachter fiel die Verbindung von Lebensklugheit mit einer gewissen Naivetät in der Aeußerung seiner Empfindungen, sowie diejenige eines nüchternen Urtheils über Menschen und Dinge und einer Richtung seines Geistes auf das Praktische und Praktikable mit einer lebhaften Phantasie und großer Begeisterungsfähigkeit auf. Ihering war eine weltfreudige Natur, wie sie unter hervorragenden Gelehrten sich nicht häufig finden dürfte. Ihm schloß das Leben, obgleich er als Sanguiniker den Wechsel zwischen himmelhohem Jauchzen und tiefer Niedergeschlagenheit auch und reichlich zu erfahren hatte, doch weitaus mehr Lust als Unlust in sich. Jene floß ihm aus hundert Quellen zu, und er würde sich niemals an ihnen übersättigt haben. Im Uebrigen ein durchaus

moderner Mensch von ausgebildetstem Wirklichkeitssinne, ohne kontemplative Neigungen, ein Freund nur des hellen Tageslichtes, Feind des Helldunkels und der Romantik in Poesie und Leben. In ihm lebte ein mächtiger Trieb nach geistiger Beherrschung der in das Bereich seines Denkens eintretenden Objekte, und dieser äußerte sich in zweifacher Weise, einerseits in dem Streben nach unbedingter Deutlichkeit der Wahrnehmungen und nach möglichster Fülle des verwerthbaren anschaulichen Materiales, und andererseits in dem raschen Emporklimmen seiner Gedanken zu weitausschauenden Gesichtspunkten. Wie hoch er sich aber auch in der Sphäre des Allgemeinen erhob, das Konkrete blieb ihm immer in vollster Klarheit gegenwärtig, ein Adler, der sich in Bergeshöhe erhebt, dabei aber, was unten kreucht und fleugt in „gemeiner Deutlichkeit" vor Augen hat. Auch beeinträchtigte die Betrachtung aus der Höhe nicht seine Wärme für den Gegenstand. Was I h e r i n g beschäftigte, das ergriff er nicht bloß mit dem Intellekte, sondern mit allen seelischen Kräften. Der ganze Mann ging immer zusammen und er identificirte sich mit seinen Problemen.

Alle diese Eigenthümlichkeiten spiegeln sich im S t i l seiner wissenschaftlichen Werke und verleihen ihm seinen Reiz und seine Bedeutung. I h e r i n g's Wirksamkeit ist in hohem Grade durch diesen Stil begünstigt worden. Vor allem hat derselbe dazu beigetragen, daß seine Schriften über die Grenzen Deutschlands hinaus sich verbreitet und ihm begeisterte Anhänger im Auslande geworben haben. Es verlohnt sich, diesen Stil mit demjenigen S a v i g n y's zu vergleichen. Diesen Beiden ist ja, wie mir scheint, kein anderer deutscher Jurist in diesem Punkte gleichzustellen. Beiden ist krystallhelle Klarheit gemeinsam, aber im Uebrigen welcher Gegensatz! Bei S a v i g n y eine vornehm-kühle Ruhe, Ausgeglichenheit der Farben, Verschwinden des Autors und jeder Tendenz hinter

der Darstellung. Der Stoff scheint seiner Seele fern zu liegen. Bei Savigny ist es, wie Ihering sagt, nicht das Subjekt, welches über den Stoff sich äußert, sondern es ist der Stoff selbst, der die Form des Gedankens annimmt. Ihering's Stil dagegen ist von lebhafter Färbung, häufig oratorisch und leidenschaftlich; der Autor verschwindet hier nicht mit seinen Empfindungen, sondern spricht uns lebendig aus jeder Zeile an, und er will nicht bloß die Sache klären, sondern zugleich den Leser für sie und seine Auffassung derselben erobern. Er prägt Stichwörter und geflügelte Worte, die als gangbare Münze für seine Ueberzeugungen werben sollen. Fülle und Breite charakterisiren die Darstellung, sie schöpft aus dem Vollen und will die Fragen bis zu trivialer Deutlichkeit erhellen und restlos erledigen. Ein Hauptbehelf ist dabei die Anknüpfung an das sinnliche Denken. Ihering ist ein Meister in der Verbindung des Abstrakten mit dem Anschaulichen. Seine sog. „naturhistorische Methode" gehört durchaus (mag auch Ihering ihr vorübergehend eine andere und höhere Bedeutung zuerkannt haben) diesem Zusammenhang an. Vor allem gehört aber hierher die Fülle treffender und vielfach witziger Vergleiche. In diesem Punkte und noch in einigen anderen erinnert Ihering an denjenigen unserer Philosophen, der ihm bezüglich der Grundtendenzen seiner Philosophie am fernsten steht, an Schopenhauer, der unter den Philosophen ähnlich wie Ihering unter den Juristen durch seine Sprache, und speziell durch deren Klarheit, die Fülle geistreicher Vergleiche und die beständige Anknüpfung des abstrakten an das anschauliche Denken hervorragt. Auch ist Beiden der noch zu besprechende Kampf gegen den Begriffskultus gemeinsam.

Kaum bedarf es der Bemerkung, daß in den hier hervorgehobenen Eigenschaften Ihering's eine eminente Lehrbe-

fähigung ſich begründet habe. Wenn er gleichwohl als Docent nicht entfernt die Stellung eines Vangerow errungen hat, ſo lag der hauptſächlichſte Grund hiervon wohl darin, daß ſein Naturell die vornehme, magiſtrale Haltung ausſchloß, die hier für große Erfolge mitbedingend iſt und es ihm zugleich erſchwerte, den Sorgen der ſtudentiſchen Mehrheiten in Bezug auf ein den geſammten Stoff gleichmäßig umfaſſendes und überall zuverläſſiges und verſtändliches Heft genügend zu entſprechen. Für die Uebungskollegien kommen dieſe Momente natürlich nicht in Betracht, und hier befand ſich Ihering ganz in ſeinem Elemente. Mir perſönlich waren die Vorträge Ihering's weitaus intereſſanter als diejenigen Vangerow's. Dieſer ließ mich, nachdem ich jenen gehört hatte, völlig unberührt.

Begeiſterter Juriſt ward Ihering durch die Lektüre im corpus juris. Der juriſtiſche Kosmos, in den er hier eintrat, dieſe Welt aus rein geiſtigem Stoffe, in der ihm „die treibende Kraft des Begriffs" eine Wahrheit geworden zu ſein ſchien, und die geiſtige Kraft und Freiheit ihrer Herren und Meiſter, der römiſchen Juriſten, faſcinirten ihn. Die Jurisprudenz erſchien ihm als eine Wiſſenſchaft, in der trotz ihrer praktiſchen Aufgaben dem ſpekulativen Talente freie Bahn gegeben ſei, und in welcher dieſes Talent jenen praktiſchen Aufgaben am beſten diene, indem es den eigenen Geſetzen folge. Im dritten Bande des Geiſtes und in der Abhandlung, mit welcher er dieſe Jahrbücher einführte, hat er die Aufgaben, welche ſpekulativer Begabung hier geſtellt ſind, eingehend charakteriſirt und ſie zugleich verherrlicht. Die Wirkungsſphäre für dieſe Begabung iſt die von Ihering ſogenannte höhere oder produktive Jurisprudenz, die der niederen oder bloß receptiven von ihm gegenübergeſtellt wird. In ihrem Bereiche gilt es, den römiſchen Juriſten nachzu-

eifern. So sehr die Stellung unserer Praktiker und Gelehrten zur Fortbildung des Rechts eine andere ist als die der Labeo und Julian, so schien Ihering eine Fortführung jener produktiven Arbeit doch auch in der Gegenwart in einem weiten Umfange möglich. Der Gedankengehalt, den das überlieferte Recht einschließt, reicht nach ihm aus, um allen Bedürfnissen auch des modernen Verkehrs gerecht zu werden. Es handelt sich nur darum, ihn vollständiger aufzuschließen und zu entfalten, nicht in sklavischer Abhängigkeit von den römischen Juristen dort stehen zu bleiben, wo bei ihnen die Arbeit abgebrochen ist.

Als die Hauptform für diese produktive Arbeit gilt ihm die Konstruktion, und für sie vornehmlich sollten die Jahrbücher bestimmt sein. In der Erneuerung der konstruktiven Jurisprudenz sieht er neben der Wiederbelebung der Quellenforschung das Kennzeichen und das Verdienst der durch Savigny's Besitz inaugurirten neuen Epoche der Rechtswissenschaft.

Was Ihering über diese konstruktive Jurisprudenz an den bezeichneten Stellen Positives vorbringt, ist m. E. im Wesentlichen unanfechtbar. Aber in der Einkleidung seiner Gedanken tritt der später von ihm so heftig bekämpfte und verspottete Kultus des Logischen unverkennbar hervor. Er erscheint hier geradezu als der Hohepriester dieses Kultus. Und seine Darstellung ist einseitig, weil die Bedingungen, unter welchen die konstruktive Thätigkeit wirklich fruchtbar zu sein verheißt, und die Grenzen, welche sie von unfruchtbarer Scholastik scheiden, darin — wenigstens gilt dies durchaus von der Abhandlung in den Jahrbüchern — nicht hervortreten.

Durchforschen wir aber die dogmatischen Arbeiten selbst, die Ihering diesem Programmartikel in langer Reihe folgen

ließ, so tritt uns darin eine Ueberschätzung des logischen Elements oder ein Außerachtlassen jener Grenzen nicht entgegen. Im Bereiche dieser Arbeiten läßt sich, im Unterschied von dem der allgemeineren Ansichten, ein Gegensatz zwischen Jugend und Alter bei Ihering nicht erkennen. Von Anfang erfreut in ihnen eine lebendige Anschauung von den Lebensverhältnissen, von den Bedürfnissen des Verkehrs, und der Art, wie die Rechtssätze auf ihn einwirken. Auch dort, wo seine Untersuchungen nicht unmittelbar praktischen Tendenzen dienen, wie etwa in der Abhandlung über die Reflexwirkungen der Rechte und in derjenigen über die passiven Wirkungen der Rechte, findet sich nichts von bloßer Begriffsklitterei. Dort handelt es sich ihm darum, eine Gruppe von Erscheinungen des Rechtslebens, die bisher, obgleich interessant genug, der Beachtung entgangen waren, in ihren praktischen Beziehungen klarzulegen, sie unter einheitlichen Gesichtspunkten zusammenzufassen und an ihnen zugleich die Endpunkte des civilrechtlichen Schutzes der Privatrechtsinteressen (nicht etwa die „begrifflich nothwendigen", sondern die faktischen, und bezw. zweckentsprechenden) aufzuzeigen; hier um Zusammenstellung einer Reihe verwandter, aber im bisherigen juristischen Denken weit auseinanderliegender Erscheinungen und um Zurückführung ihrer Eigenthümlichkeiten auf gemeinsame und einfache Merkmale (den Zustand fortdauernder rechtlicher Gebundenheit von Personen und Sachen bei vorübergehendem Mangel eines berechtigten Subjektes). Im Uebrigen geht, soweit ich sehe, die Bearbeitung der Begriffe in den dogmatischen Arbeiten Ihering's nirgend über die Grenzen hinaus, welche ein erkennbares praktisches Interesse an die Hand giebt. Ja, das Zweckmoment macht sich auch in älteren Arbeiten, (wie z. B. derjenigen über die Beschränkungen des Grundeigenthums) in einer Weise als Direktive geltend, welche dem von Ihering

später vertretenen, das unbedingte Primat für dieses Moment im juristischen Denken in Anspruch nehmenden, Standpunkte vollkommen entspricht. Nicht selten gaben praktische Fälle, die einen Widerspruch zwischen überlieferten Lehrmeinungen und den Bedürfnissen des Rechtslebens darzuthun schienen, den Anlaß zu diesen Arbeiten. So zu seiner Bearbeitung der Lehre von der Gefahr beim Kaufe. Die Betheiligung an der Spruchpraxis, die Ausarbeitung von Gutachten, die Erörterung von Fällen in juristischen Gesellschaften und seine Praktika beeinflußten in weitgehendem Maße die Richtung seiner dogmatischen Untersuchungen und übten zugleich auf seine allgemeineren wissenschaftlichen Ansichten einen tiefgehenden, ja revolutionirenden Einfluß aus. Auf die dort empfangenen Anregungen sind auch die trefflich gearbeiteten Rechtsfälle, die bei einer allgemeinen Würdigung Ihering's nicht unerwähnt bleiben dürfen, zurückzuführen. Speziell charakteristisch für ihn ist seine vielbenutzte „Jurisprudenz des täglichen Lebens", die das Kleinleben des Tages mit seinen mannigfachen Komplikationen in das Beobachtungsfeld des Juristen rückt.

Nicht einer begrifflichen, sondern einer kasuistischen Probe unterwirft er mit Vorliebe die Theorien. Was bei kasuistischer Durchführung für die betheiligten Verkehrsinteressen herauskommt, darin liegt für ihn das hauptsächlichste Werthmaß für ihre Beurtheilung, und zwar auch der lex lata gegenüber, da er deren Zweckwidrigkeit nicht ohne zwingenden Grund gelten läßt. Ebenso gern nimmt er seinen Ausgang von diesen Interessen und prüft, ob die schützende Decke des Rechts dieselben zur Genüge umschließe. Ergeben sich hier den herrschenden Theorien zufolge Lücken, so werden ihm diese Theorien verdächtig. Er vermuthet, daß sich Vorurtheile zwischen Recht und Bedürfniß eingeschoben haben, daß das Deficit nicht den römischen Juristen, sondern der Enge des dogmatischen Ge-

sichtskreises moderner Juristen zur Last zu legen sei. Nun durchforscht er die Gedankenwelt der römischen Jurisprudenz, um Anknüpfungen für die Deckung jener Lücken und für den Kampf gegen die im Wege liegenden dogmatischen Denkgewohnheiten zu finden. Und sein Spürsinn findet in der Regel, was er sucht. Manche Rechtsgedanken sind ja bei den römischen Juristen nur zu einem fragmentarischen Ausdruck gelangt, oder nur in Grenzen zur Anwendung gebracht, welche in den Verkehrsbedürfnissen jener Zeit und den praktischen Anlässen zum Respondiren, nicht in diesen Gedanken selbst sich begründen. Hier nun setzt Ihering alle seine Kraft ein, um freie Bahn zu schaffen für eine allseitigere und den heutigen Verhältnissen sich anpassende Anwendung derselben. Beispiele geben seine Arbeiten über die culpa in contrahendo, über die Erstreckung der Obligationen auf das Affektionsinteresse, über den civilistischen Rechtsschutz gegen injuriöse Rechtsverletzungen. In allen diesen Beziehungen würde eine Vergleichung des Ihering'schen Verfahrens mit demjenigen Windscheid's ein nicht geringes Interesse darbieten, doch muß ich dieselbe Anderen überlassen.

Auch in den Beiträgen zur Lehre vom Besitz zeigt der Dogmatiker Ihering den gleichen Charakter. Nur treten hier zugleich die der charakterisirten Arbeitsweise entsprechenden allgemeineren wissenschaftlichen Ueberzeugungen, die erst in den späteren Jahren bei ihm zu unbedingter Geltung gelangt sind, in schneidiger Polemik gegen Savigny und Andere hervor. Zur Arbeitsmethode hat sich die entsprechende Theorie über sie gesellt, und die dogmatische Untersuchung gestaltet sich zu einer Beweisführung für dieselbe.

Ob bei diesen Arbeiten die interpretative Thätigkeit nicht allzu sehr unter dem Einfluß der Ueberzeugungen des Verfassers von dem Zweckmäßigen und von dem, was sein Rechtsgefühl

ihm als das Richtige an die Hand gab, gestanden habe, darüber mögen die Romanisten entscheiden. Aber etwaige Mängel dieser Art nehmen seinen Schriften nicht ihre anregende Kraft und nicht ihren berechtigten Einfluß auf das civilistische Denken. Und man wird nicht leugnen können, daß in diesen Schriften etwas von jener, von ihm postulirten produktiven Jurisprudenz und zwar einer im Dienste praktischer Interessen stehenden wirklich enthalten sei.

Ueber die produktive Jurisprudenz würde im Uebrigen Manches zu sagen sein. Aber es scheint mir nicht geziemend, an diesem Orte, wo ich mich gleichsam zu Gast befinde, mich kritisch über die Leistungen unserer Civiljurisprudenz in der hervorgehobenen Richtung zu äußern. Nur bescheiden sei darauf hingedeutet, daß diese Jurisprudenz gewissen Anforderungen des heutigen Rechtlebens gegenüber einige Unbehilflichkeit an den Tag gelegt hat [1]), und daß diese, wie mir scheint, mit einem Deficit im Bereiche der charakterisirten produktiven Jurisprudenz zusammenhängt.

Seine ursprüngliche Ueberschätzung des logischen Elements

---

1) Als ein Beispiel kann dienen die ablehnende Haltung, welche unsere civilistisch geschulten Juristen lange Zeit hindurch in Bezug auf eine Ausdehnung der Haftpflicht für Schädigungen Dritter über das Bereich kulposer Handlungen hinaus beobachtet haben, obgleich theils erkennbare Bedürfnisse, theils unser heutiges Rechtsgefühl eine solche Ausdehnung in verschiedenen Verhältnissen forderten. Man hatte sich der allgemeineren Gedanken nicht bemächtigt, von welchen sowohl die römischrechtlichen Grundsätze über civilrechtliche Haftung wie unsere strafrechtlichen Grundsätze über die Rechtsfolgen vorsätzlicher und fahrlässiger Rechtsverletzungen nur (logisch nicht erschöpfende) Anwendungen darstellen. Im Uebrigen verweise ich auf den Entwurf für unser bürgerliches Gesetzbuch. — Die produktive Jurisprudenz im Sinne Ihering's berührt sich in ihren Aufgaben nahe mit denjenigen einer positivistischen Rechtsphilosophie, indem es sich auch bei dieser u. A. darum handelt, den begrifflichen Inhalt der Rechtssätze zu einem möglichst einfachen und zugleich vollständigen Ausdruck zu bringen.

in der Jurisprudenz brachte Jhering später mit seinem Verlangen nach Befreiung von dem geistigen Drucke in Zusammenhang, mit welchem das rein Positive auf ihm gelastet habe. Aber dasselbe, für ihn in hohem Grade charakteristische Verlangen kam gleichzeitig noch in anderer und bedeutsamerer Weise zum Ausdruck. Zwei Wege führen ja zu diesem Ziele: zur Befreiung von der lastenden Schwere des Stofflichen im Rechte, oder vielmehr zu geistiger Beherrschung desselben, der dogmatische und der genetische, die logische Verarbeitung und Konzentration einerseits, und andererseits die Klarlegung des geistigen Arbeitsprozesses, aus dem das überlieferte Recht hervorgegangen ist, in dem es sich behauptet und weiterbildet, und in welchem zugleich die obersten Werthmaße für seine Beurtheilung zu finden sind. Letzteres ist ohne Zweifel die schwierigere und bedeutsamere Aufgabe, und ihr, in ihrer Beziehung auf das römische Recht, wendete sich Jhering in noch jungen Jahren mit unvergleichlicher Kühnheit zu.

Sein Verlangen, dieses Recht in solchem Sinne zu bemeistern, entsprach dem Selbständigkeitsverlangen unseres Volkes der fortwirkenden Thatsache der Reception des römischen Rechts gegenüber. Dies Recht hat sich dem geistigen Organismus des deutschen Volkes als eine autoritäre, der Kritik entrückte Macht, als ein Stück unanfechtbarer praktischer Philosophie eingefügt. Aber diese Philosophie blieb und bleibt ein fremdes Element im nationalen Leben, so lange und so weit sie nicht kritisch bemeistert, auf ihre Quellen zurückgeführt und an den Bedingungen unseres eigenen wirthschaftlichen, staatlichen und Kulturlebens gemessen ist. Jhering war ein Organ des nicht von heute stammenden nationalen Selbständigkeitstriebes dem recipirten Rechte gegenüber, und sein größtes Werk, der „Geist des römischen Rechts . .", war bestimmt, diesem Selbstständigkeitsverlangen zu dienen.

Es sollte das volle Verständniß des römischen Rechts aus seiner Entwicklungsgeschichte heraus erschließen, damit zugleich jene Werthmaße für seine Beurtheilung liefern und so für eine künftige nationale Gesetzgebung die Möglichkeit schaffen, wählend und ausscheidend, umbildend und anpassend und Neues mit Altem verbindend, ein dem nationalen Genius und den Bedürfnissen der Gegenwart entsprechendes Recht zu schaffen. „Durch das römische Recht über das römische Recht hinaus", das ist die Devise für diese Seite seiner Wirksamkeit. Und daß er sich ein solches Ziel gesetzt und in der Richtung desselben wirkliche Leistungen aufzuweisen hat, das ist sein bester Ruhmestitel.

Savigny hatte das Programm einer Entwicklungsgeschichte des Rechts aufgestellt. Aber die geschichtlichen Arbeiten seiner Schule ließen (von Puchta's Institutionen abgesehen) ein näheres Verhältniß zu diesem Programm kaum erkennen. Sie waren, von Arbeiten mehr antiquarischen Charakters abgesehen, hauptsächlich darauf gerichtet, der Dogmatik zu dienen, nicht die psychische Seite des Rechts und ihre Entwicklung im Zusammenhange des Kulturlebens aufzuhellen. Ihering unternahm, was die Schule postulirt hatte. Aber was er brachte, zeigte ihn alsbald in mannigfachem Gegensatze zu ihr.

Die historische Ansicht vom Recht hatte sich bei dieser Schule im Zeitalter der Romantik, im Zusammenhange mit dem Kampfe gegen die Ideen der Revolutionszeit gestaltet. Bei Ihering tritt sie aus diesem Zusammenhange heraus, sie streift das romantische Gewand ab. Hierher gehört seine abweichende Stellung zum Universalismus im Rechte. Der Kampf gegen den Kosmopolitismus der Revolutionszeit hatte jene Schule zu ausschließlicher Betonung des nationalen Elements im Rechte geführt. Das Recht gilt ihr als integrirender

Theil einer spezifisch nationalen Kultur in dem Sinne, wie es dies bei den Griechen und im älteren Rom gewesen ist, bei den modernen Völkern dagegen so wenig ist, wie ihre Moral, Sitte und Religion ein lediglich nationales Gepräge haben. Ihering wollte in seinem Geiste u. A. zur Anschauung bringen, wie, in welchen Formen und wodurch das römische Recht, aus nationaler Wurzel sich entwickelnd, in der Periode der klassischen Jurisprudenz über die Sphäre des bloß Nationalen sich erhebt, um als ein Kulturelement von universellem Gepräge zusammen mit anderen Kulturelementen analogen Charakters der modernen Welt überliefert zu werden. Wäre dies anders, so würde ja bei der Wiedererstarkung unseres nationalen Lebens das Ziel nur sein können, dieses Recht ganz und gar und so rasch als möglich aus unserem Rechtsleben auszuscheiden, ein Ziel, das jener Schule so fern wie möglich lag. Was ferner den nationalen Ursprung betrifft, so begnügte sich die Schule mit der Zurückführung des Rechts auf den Volksgeist, die Volksüberzeugung. Ihering dagegen sucht die diesen Volksgeist konstituirenden geistigen Kräfte zu erkennen und ihren Antheil an der Bildung des Rechts im Einzelnen klarzulegen. Er bekämpft ferner die Anschauung der Schule von dem unbewußten Werden und Wachsen des Rechts aus dem mystischen Schoße des Volksgeistes heraus. Seine Meinung ist, und er hat darin Recht, daß bei der Ausbildung der eigenthümlichen Existenzformen des Rechts von Anfang an bewußte Willensbethätigung und reflektirende Verstandesarbeit betheiligt gewesen seien. Und seine Geschichte des älteren römischen Rechts soll den Beweis dafür erbringen. Im Zusammenhang damit gelangt er zu einer anderen Schätzung der gesetzgeberischen Arbeit. Der einseitigen Bevorzugung des Gewohnheitsrechts seitens der Schule setzt er mit Leist und Andern die eminente Bedeutung des Gesetzes für den Prozeß

der Verselbständigung des Rechts entgegen. Und jene Geschichte giebt ihm dabei greifbares Beweismaterial an die Hand.

Mit alledem gewinnt der Entwicklungsgedanke bei ihm eine andere Färbung. Dieser centrale Gedanke der modernen Wissenschaft hat bei Savigny und den Seinigen eine durchaus konservative Färbung. Sie betonen vor allem die Stetigkeit des geschichtlichen Lebens und die Abhängigkeit einerseits der Gegenwart von der Vergangenheit, andererseits der Einzelnen von den objektiven Mächten. Bei Ihering dagegen nimmt dieser Gedanke, wie im Bereiche der heutigen Wissenschaft überhaupt, einen progressistischen Charakter an. Ist er doch, wie schon gesagt wurde, ein Repräsentant des geistigen Selbständigkeitsstrebens dem überlieferten Rechte gegenüber.

Wie nun die bezeichneten Grundanschauungen den Inhalt seines Hauptwerkes einerseits beeinflussen und andererseits in ihm Stütze und Begründung finden, das kann ich hier nicht näher darlegen. Ebenso muß ich darauf verzichten, eine Quintessenz des Werkes vorzutragen. Der Versuch dazu wäre ja sehr verlockend, aber der eigenthümliche Charakter des Buchs, das in seinen vier Bänden die mannigfachsten Probleme in Angriff nimmt, und nicht bloß die Entwicklungsstufen des römischen Rechts, sondern auch die Entwicklungsstufen der Anschauungen des Verfassers spiegelt, schließt die Möglichkeit aus, dies in knappem Rahmen auszuführen. Ich beschränke mich darauf, einige der Eindrücke hervorzuheben, die es auf mich und wohl auf viele Andere hervorgebracht hat.

Dahin gehört der Eindruck von der eminenten geistigen Energie, mit der sich Ihering in die altrömischen Verhältnisse versetzte, eine sinnlich klare Anschauung derselben für sich zu erzwingen, die intellektuelle und ethische Organisation des römischen Volkes in ihren Grundelementen zu erfassen und hinter den überlieferten Gesetzen und Dogmen das wirkliche

Rechtsleben zum Vorschein zu bringen sucht. Man hat mit Recht der Phantasie Ihering's einen großen Antheil an dieser rekonstruirenden Arbeit beigemessen (Landsberg), ohne sie ist dergleichen ja ausgeschlossen. Aber es ist die Phantasie des Intellekts (eine gesteigerte Funktion seiner intuitiven Vermögen), mit der wir es hier zu thun haben, und das Material, mit dem sie arbeitet, ist im Wege einer ausgedehnten Detailforschung gewonnen. Was immer im Einzelnen hier anfechtbar oder durch spätere Forschungen als unhaltbar erwiesen sein mag, die Gesammtleistung bleibt ein Dokument von imponirender wissenschaftlicher Kraft. Der „Geist" überhaupt wird m. E. in der Geschichte der Wissenschaften einen rühmlichen Platz neben dem Geiste der Gesetze Montesquieu's behaupten.

Eine bleibende Bedeutung hat, wie ich glaube, vor allem die Darstellung der Verselbständigung des römischen Rechts im Verhältniß zu den anderen Kulturelementen, d. i. einerseits der eigenthümlichen Formen, in welchen es sich von diesen scheidet, sein Sonderdasein entfaltet und bethätigt, und der Arbeitsmethoden der römischen Jurisprudenz, und andererseits der ethischen und intellektuellen Eigenschaften, welche sich hierbei als wirksam erweisen und die Prädestination des römischen Volks für das Recht begründen. Ihering hat Recht mit der Annahme, daß das erstaunliche Werk der römischen Jurisprudenz durch den bloßen Hinweis auf die logische Virtuosität der Juristen nicht erklärt sei, daß neben und vor dieser die eminente praktische Richtung und Veranlagung des römischen Geistes und gewisse Charaktereigenschaften als Bedingungen des Werks in Betracht kommen. Trefflich finde ich u. A., was er hier über den disziplinirten Egoismus der Römer und über den Macht- und Freiheitstrieb derselben und die Bedeutung dieser Momente für die Verselbständigung des

Rechts sagt. Die spezifische Funktion des Rechts liegt ja in der Abgrenzung von Macht- und Freiheitssphären, und die Herausarbeitung dieser Funktion in ihrer Eigenthümlichkeit ist wesentlich begünstigt durch die Energie der konkurrirenden Interessen, deren Machtgebiete gegen einander abzugrenzen sind. Bei einem überwiegend passiven und altruistisch gesinnten Volke wäre die Ausbildung der Eigenart des Rechts, wie sie in Rom erfolgte, undenkbar; die treibende Kraft dafür würde fehlen.

Ihering's Absicht war von vornherein darauf gerichtet, durch Darlegung des Entwicklungsganges des römischen Rechts Beiträge zu einer „Naturlehre des Rechts", d. i. zu einer Rechtsphilosophie zu liefern. Und seine Voraussetzung von einem Zusammentreffen der Aufgaben der Rechtsphilosophie mit einer Geschichtsschreibung dieses Charakters war wohl begründet. Kondensirte Entwicklungsgeschichte ist Philosophie. Ein Geist, der die Entwicklungsgeschichte der Menschheit völlig durchschaute und darüber zusammenhängende, konzentrirte und deutliche Auskunft zu geben vermöchte, der wäre der größte aller Philosophen. Ueber das hinaus, was er uns lehren könnte, gäbe es im Bereiche der Geisteswissenschaften für ein gegebenes Zeitalter kein mögliches allgemeines Wissen.

Ihering's Werk enthält denn auch solche Beiträge, und die künftige Rechtsphilosophie wird aus ihm zu schöpfen haben. Mehrfach streift die Erörterung in ihm das historische Gewand beinahe völlig ab. Einzelne Exkurse würden sich einfach in ein System der Rechtsphilosophie aufnehmen lassen. So derjenige über den Begriff des subjektiven Rechts, der den letzten Band abschließt.

Eine vollkommene Harmonie zwischen diesen Beiträgen zur Rechtsphilosophie ist freilich nicht vorhanden. Ihering's

rechtsphilosophische Ansichten haben mehrfache Aenderungen erfahren. Und davon abgesehen ergiebt sich eine gewisse Inkongruenz zwischen manchen seiner Ausführungen aus der Lebhaftigkeit, mit der er die jeweils betrachtete Seite der Dinge ergreift, sich ihr ganz zukehrt und seine Kraft dazu verwendet, sie und gerade nur sie in eine glänzend helle Beleuchtung zu bringen. Einsichten, die an sich mit einander verträglich sind, gelangen in Folge davon zu einer Einkleidung und Vertretung, die sie in einen gewissen Gegensatz zu einander bringen. Ein affektloses Sinnen und Brüten über der gesammten Fülle der Arbeits- und Lebensergebnisse, woraus eine widerspruchslose, Alles gleichmäßig umfassende Totalanschauung der Dinge hervorgehen mag, war nicht Ihering's Stärke. Deshalb hat auch die Revision der ersten Auflage des Geistes diese Inkongruenzen zwar hier und dort abgeschwächt (so hinsichtlich der Schätzung des logischen Elements im Recht), aber nicht verschwinden lassen. Im Allgemeinen lassen sich in den Ihering'schen Arbeiten in Bezug auf alle Hauptprobleme der allgemeinen Rechtslehre solche Inkongruenzen nachweisen. So in Bezug auf den Begriff des subjektiven Rechts.

Im zweiten Bande des Geistes, bei Betrachtung der älteren römischen Jurisprudenz und unter dem Einfluß derselben, lehrt er, daß Rechtsverhältnisse ihrem Wesen nach Herrschafts- oder Machtverhältnisse seien, Recht ein konkretes Stück Willensmacht; daß die einseitige Durchführung des Gesichtspunktes der Macht und Herrschaft bei Betrachtung des gesammten Privatrechts das absolut Richtige sei, daß das Wesen der Jurisprudenz darin bestehe, daß sie von Allem abstrahire, was auf diesen Gesichtspunkt nicht reagire. Im vierten Bande des Geistes dagegen wird das subjektive Recht als staatlich geschütztes Interesse definirt, dem Machtgesichts-

punkt der des Zweckmäßigen substituirt, die Willenstheorie ausdrücklich verworfen. Dort wird die eine, hier die andere Seite des subjektiven Rechts vortrefflich erörtert, aber die begriffliche Zusammenfassung derselben nicht ernstlich versucht. An sich ist klar, daß der Machtgesichtspunkt keinen zureichenden Maßstab für die Vertheilung und Abgrenzung der Rechte darbietet, über das Warum ihrer Ausdehnung oder Beschränkung und ihrer Wandlungen erschöpfenden Aufschluß nicht geben kann, daß er also das „εἷς καὶ πᾶν" der Jurisprudenz nicht sein könne; und andererseits ist es ebenso gewiß, daß die Substanz des subjektiven Rechts nicht das Interesse sein könne, so gewiß es sich vom objektiven Rechte herleitet. Denn das objektive Recht verleiht ja den Einzelnen keine Interessen, sondern stattet sie mit Rücksicht auf bestimmte Interessen mit einer gewissen, diesen Interessen angepaßten Macht aus. Hiernach scheint eine korrekte Begriffsbestimmung, welche jenen beiden Elementen ihre richtige Stellung giebt, keine Schwierigkeiten darzubieten. Aber Ihering's Sorge um eine logische Korrektheit seiner Definitionen war stets geringer, als sein Bestreben, die jeweils in Betracht kommenden Elemente der Rechtsverhältnisse voll zur Anschauung zu bringen[1]).

Auch behauptet sich bei ihm dieser Dualismus der Anschauungen über das Recht. In seinem „Kampf ums Recht" findet der Machtgesichtspunkt eine neue und geistvolle Vertretung, während der „Zweck im Recht" sich ganz dem Zweckmomente zuwendet.

In diesen beiden Schriften spricht sich die Persönlichkeit Ihering's am deutlichsten aus. Im „Kampfe" sein Charakter, seine Wehrbarkeit, die Stärke seines Rechtsgefühls, die ganze Kraftnatur des Mannes, im „Zweck" die früher geschilderte

1) Man vergleiche hierzu die Ausführungen Ihering's in Scherz und Ernst, S. 360.

Art und Richtung seines Intellekts. Ein Mann wie er ruht nicht, bis seine theoretischen Anschauungen diejenige Gestalt gewonnen haben, die seiner Eigenthümlichkeit vollkommen gemäß ist. Die Bedeutung seiner Theorien hängt dann davon ab, welche Seiten des Menschlichen in ihm vornehmlich ihre Vertretung gefunden haben, und ihre nächste Wirksamkeit von dem Verhältniß, in welchem diese Seiten des Menschlichen zu den die Zeit bewegenden Gegensätzen und Bestrebungen stehen. Wie sich dies mit den finalen Theorien Ihering's verhalte, werde ich zu zeigen versuchen.

Im „Kampf ums Recht" schuf sich Ihering, wie schon angedeutet wurde, die seiner Persönlichkeit adäquate Anschauungsform in Bezug auf die Machtseite des Rechts. In einer älteren, trefflichen Schrift über „das Schuldmoment im römischen Privatrecht" hatte er die im „Kampfe" behandelte Fragen bereits, aber wesentlich als Historiker gestreift. Er schilderte dort die allmähliche Ausscheidung des pönalen Elements aus dem Bereiche der Civilrechtspflege und sah darin, mit Recht, ein Stück des Differenzirungsprozesses, dem das Recht bei den Römern unterlag und der eine wesentliche Seite seiner fortschreitenden Entwicklung darstellt. Bald aber bemerkte er, daß dem Zurückdrängen des pönalen Moments aus dem bezeichneten Gebiete verwandte Erscheinungen zur Seite gingen und in der modernen Welt sich vervielfältigen und ausbreiten, welche eine Abschwächung der Energie des Rechtswillens bei Vertheidigung sowohl des objektiven Rechts wie der subjektiven Rechte dokumentiren. Und er ward sich des Widerspruchs bewußt, in welchem diese Entwicklungsreihe mit seiner gesammten Denk- und Empfindungsweise stand. Im „Kampf ums Recht" nun kommt dieser Widerspruch in einer seiner Schärfe entsprechenden leidenschaftlichen Sprache zum Ausdruck; und der gewaltige Erfolg, den das Schriftchen

hatte, bewies, daß er mit seinen Empfindungen nicht isolirt stand. Es entsprach verbreiteten Stimmungen, welche seitdem in mancherlei Bestrebungen, namentlich auf strafrechtlichem Gebiete, deutlicher zu Tage getreten sind. Unser modernes Rechtsleben zeigt sich, und dagegen reagiren diese Stimmungen und Bestrebungen, vielfach von des Gedankens Blässe angekränkelt. Das Recht hat gleichsam etwas von der Zuversicht zu sich selbst verloren, und es gilt dies insbesondere auch von unserer Privatrechtsordnung. Seit dem Hervortreten der socialen Frage hat sich der Zweifel an ihrer allseitigen Gerechtigkeit im modernen Denken eingenistet, und dieser wird, in seinem Zusammenhange mit der die Zeit erfüllenden socialen Bewegung, eine Rückbildung in dem Sinne, wie Ihering sie in seinem Kampfe fordert, trotz jener verbreiteten Stimmungen ausschließen.

Dies Schriftchen beschäftigt sich übrigens zumeist mit der Geltendmachung der subjektiven Rechte und vertritt die Thesis, daß die energische Abwehr des Unrechts eine Pflicht der Berechtigten sei. Man könnte diesen Theil der Schrift eine Predigt über das Kant'sche Wort: „Laßt Euer Recht nicht ungeahndet von Anderen mit Füßen treten" nennen. Aber diese Predigt enthält einen rechtsphilosophischen Kern und zwar einen im Wesentlichen unanfechtbaren[1]).

Ihering stützt seine These von der Pflicht der Rechtsvertheidigung erstlich auf den Zusammenhang des subjektiven

1) Die rechtsphilosophischen Gedanken der Schrift sind von mir in verschiedenen, zum Theil früher erschienenen Schriften entwickelt worden. Aber obgleich Ihering die letzteren kannte, haben sie auf seine Ansichten sicherlich nicht den geringsten Einfluß ausgeübt. Ihering mußte seine Wege überall in eigener Arbeit finden und für sich gangbar machen. Er führte unter seiner Flagge deshalb immer nur eigenes Gut, was ich auch für Andere gesagt haben möchte.

Rechts mit der Persönlichkeit des Berechtigten, zweitens auf die Solidarität des objektiven mit dem subjektiven Rechte.

Jener Zusammenhang des subjektiven Rechts mit der Persönlichkeit ist trefflich dargelegt. In Wahrheit liegt in unseren Rechten ein Stück unserer socialen Geltung, unserer Ehre. Wer unser Recht mißachtet, der greift diese Geltung, diese Ehre an.

Und es besteht hier kein prinzipieller Gegensatz zwischen privaten und öffentlichen Rechten. Auch ist das Rechtsgefühl, das sich bei Behauptung der ersteren geltend macht, dem Wesen nach kein anderes wie dasjenige, das in der Vertheidigung politischer Rechte hervortritt.

Wäre freilich das Recht nichts als ein isolirtes Stück Interesse, wie im 4. Bande des Geistes angenommen zu sein scheint, so könnte in ihm nicht die Persönlichkeit getroffen sein, könnte nicht die Behauptung des Rechts, wie er nun lehrt, gleichbedeutend mit moralischer Selbstbehauptung sein. Man hat diese Kampftheorie vielfach angegriffen, aber wenn man von gewissen Uebertreibungen in der Form ihrer Einkleidung absieht, so giebt es nur einen Standpunkt, von dem aus sie konsequenterweise verworfen werden kann. Es ist der christliche, insoweit er durch die Aufforderung charakterisirt ist, demjenigen, der uns den Rock nimmt, auch das Untergewand dazu zu geben. Diesem Standpunkte freilich entspricht die Ihering'sche Ethik, eine Ethik der Willens- und Lebensbejahung, nicht. Aber sie entspricht dem Geiste, der das Recht geschaffen hat und in ihm lebendig ist. Die Energie, mit welcher das subjektive Recht sich dem Unrechte gegenüber geltend macht, gehört demselben Systeme der Lebensbejahung an, wie diejenige, mit welcher das objektive Recht sich gegen das Unrecht zur Wehr setzt. Handelt es sich doch dort und hier um dieselben Lebensinteressen. Und damit gelangen wir

zu dem zweiten Satze Jhering's, der die Solidarität des objektiven mit dem subjektiven Rechte behauptet.

Daß man diese Solidarität jemals verkennen konnte, ist seltsam. Ist doch das subjektive Recht nicht losgelöst von dem objektiven, das aus ihm spricht, von dem es Leben und Athem hat, zu denken. Die Vorstellung, daß eine schuldhafte Verletzung subjektiver Rechte möglich sei, welche das objektive Recht nicht berühre, ist absurd, eine prinzipielle Scheidung von bloßem (schuldhaftem) Civilunrecht und strafbarem Unrecht daher unmöglich. Deshalb decken sich auch, wie Jhering richtig erkennt, die Funktionen des Civilschutzes in gewissem Umfange mit denjenigen des Strafschutzes.

Auch das, was in dieser Schrift über die Machtseite des objektiven Rechts und über die Kämpfe, in welchen sie sich gestaltet, umgebildet und behauptet, ausgeführt wird, enthält eine Reihe von unanfechtbaren Gedanken.

Von sehr viel größerer Bedeutung noch in Bezug auf das finale Gedankensystem Jhering's als der Kampf ums Recht ist der „Zweck im Rechte". Er ist aus der Arbeit am Geiste hervorgewachsen und hat dieser zugleich ihr Ende bereitet. Das Kind hat seine Mutter getödtet. Bei der Ausarbeitung der Theorie des subjektiven Rechts, deren ich gedacht habe, erfüllte ihn die Wahrnehmung der Abhängigkeit der Rechtssätze von gesellschaftlichen Zwecken mit solcher Kraft und brachte eine solche Umwandlung in seinen allgemeinen Anschauungen hervor, daß es ihm nun als die Hauptaufgabe seines Lebens erschien, ihr in einem selbständigen Werke einen bedeutsamen Ausdruck zu geben. Er glaubte nun den Punkt erfaßt zu haben, aus welchem alle Gestaltungen des Rechtslebens hervorquellen und aus dem heraus sie verstanden werden können. Er hatte den Standort für die Entwicklung

jener Naturlehre des Rechts, die ihm von Anfang an als ein Ziel bei seinen Arbeiten vorgeschwebt hat, gefunden. Sofort entstand ihm das Programm für sie und dehnte sich bald ins Kolossale aus. Ueber die Grenzen einer bloßen Rechtsphilosophie erhob es sich zum Entwurf einer Phänomenologie der ge- gesammten ethischen und socialen Welt. Das Werk sollte diese als eine Schöpfung menschlicher Zwecke erweisen und diese Schöpfung selbst, das Hervorgehen der Gesammtordnung des gesellschaftlichen Lebens aus ihnen, dem Leser vor Augen stellen. Es sei gestattet, dem Inhalte der vorliegenden Bände des Werkes etwas näher zu treten.

Ihering scheidet die Zwecke der egoistischen (d. i. der physischen, ökonomischen und rechtlichen) Selbstbehauptung des Individuums von den Zwecken der socialen Selbstbehauptung, welchen letzteren bei dem Individuum die Zwecke der ethischen Selbstbehauptung entsprechen, und diese logische Gliederung erhebt sich bei ihm zum Schema einer Entwicklungslehre. Er will zeigen, wie hier „ein Zweck an den anderen anknüpft, der höhere an den niederen, und nicht bloß anknüpft, sondern in der Konsequenz seiner selbst mit zwingender Nothwendigkeit den anderen aus sich hervortreibt". Am Anfang steht der Egoismus. Dies ist „die Mutter, die Alles aus sich entläßt, befruchtet durch den Zwang" geschichtlich bestimmter Lebens- bedingungen. Sich selber dienend, bringt der individuelle Egoismus sociale Zwecke zum Vorschein und errichtet für sie das Gebäude des Rechts. Dieses ist die Organisation des sozialen Zwangs in der Hand des Staats für diese Zwecke, d. i. für die Sicherung der gesellschaftlichen Lebensbedingungen. In diesem Gebäude hält dann der sittliche Geist, welcher durch die Identität der individuellen Zwecke mit den Zwecken der Gesammtheit charakterisirt .ist, seinen Einzug, um darin sein Reich aufzuschlagen. Das Rechtmäßige und das Sitt-

liche bilden hiernach keinen Gegensatz zum Zweckmäßigen. Sie bezeichnen nur „die tiefste und festeste Schicht des in der gesellschaftlichen Organisation abgelagerten Zweckmäßigen". Sie sind ferner nicht eine ursprüngliche Mitgift des menschlichen Geistes, nicht eine lex innata, sondern das Ergebniß einer Anpassung an die geschichtlich bestimmten gesellschaftlichen Existenzbedingungen. Es giebt daher kein absolutes Sittliche, wie wir nicht von absoluten Zwecken sprechen können. Jede Entwicklungsstufe der Gesellschaft hat ihre eigenen Zwecke und damit zugleich ihr eigenes Glück und ihre eigene Sittlichkeit, und auf jedem Blatte, das die Geschichte der Menschheit aufrollt, steht bereits das verte für die folgende Seite. Die erreichten Zwecke lassen neue Zwecke, das erreichte Sittliche ein neues Sittliches aus sich hervorgehen.

Damit sind die einfachen Grundlinien der Jhering-schen Ethik und Rechtsphilosophie bezeichnet. Es ist ein socialer Utilitarismus, mit dem wir es hierbei zu thun haben. Dieser Utilitarismus schließt aber bei Jhering nicht etwa eine Skepsis oder auflösende Tendenzen dem Sittengesetz gegenüber ein. Der theoretische Utilitarist ist praktischer Idealist, und er meint, daß seine Aufhellung der Quellen des Sittlichen die Macht desselben nicht mindern, sondern erhöhen werde.

Das Werk hat nicht die von Jhering erhoffte Aufnahme gefunden. Namentlich nicht im Kreise der spezielleren Fachgenossen, die für ihre wissenschaftlichen Bestrebungen keine Anknüpfung in ihm fanden, und es weder als eine juristische noch als eine philosophische Leistung gelten lassen wollten. Diese Stimmung der Fachgenossen, zu deren Organ sich Windscheid machte, hat Jhering veranlaßt, die Weiterführung des Werkes aufzugeben und sich Arbeiten zuzuwenden, die den Interessen jener juristischen Kreise näher lagen.

Indessen wäre es ein Irrthum, zu meinen, daß der „Zweck im Recht" innerhalb der Juristenwelt überhaupt keine Wirkungen geäußert habe. Dazu war sein Inhalt allgemeineren Richtungen des modernen Denkens allzu sehr verwandt. Leider nicht bloß in seinen Vorzügen, sondern auch in seinen Schwächen. Der Einfluß gerade der letzteren ist im Bereiche der heutigen juristischen Litteratur unschwer zu erkennen. Auch in diesem Bereiche hat der moderne Naturalismus seinen Einzug gehalten und an dem „Zweck im Rechte" eine Anlehnung gefunden. Er hat ihm den „Zweckgedanken" entliehen, diesen aber in einer Weise verwendet, welche nicht der Stärke, sondern dem Deficit des Werkes entspricht [1]).

Das ablehnende Urtheil der juristischen Kritiker war übrigens im Allgemeinen kein sehr tief gehendes. Man erkannte weder die Bedeutung des Werks, noch wußte man sich genaue Rechenschaft über seine Schwächen zu geben. So hat man in ihm nur „ein lockeres Gefüge geistreicher Aperçüs" finden wollen („Nation"), während gerade die Einheitlichkeit und Geschlossenheit seines Gedankenbaues Bewunderung verdienen. Von anderer Seite wurde die Frage aufgeworfen, wo und wann denn das Alles geschehen sei, was Ihering beschreibt, und die Antwort gegeben, daß es nie und nirgends sich zugetragen habe außerhalb des Ihering'schen Geistes (Dahn). Im Sinne Ihering's würde zu antworten sein, daß diese Dinge sich überall zugetragen haben, wo Recht und Sittlichkeit zur Entwicklung gelangt sind. Sein Werk will ein Auszug aus ihrer Entwicklungsgeschichte, ein summarischer, nur die typischen Vorgänge umfassender Bericht über sie sein. Einem solchen Unternehmen läßt sich prinzipiell nichts entgegensetzen. U. A. nicht die nationale Verschiedenheit der

1) Auf diese Verhältnisse bezieht sich meine Festschrift für Ihering über „Vergeltungsidee und Zweckgedanke".

Rechte, denn sie schließt ein Gemeinsames nicht aus. Dem Recht sind gewisse, überall identische Funktionen wesentlich. In diesen aber kommen gleichartige Bedürfnisse und gleichartige geistige Kräfte zum Ausdruck. Sie sind für die Schöpfung der Rechtswelt als solcher überall bestimmend gewesen, und ihre schöpferische Wirksamkeit will uns Ihering veranschaulichen. Eine andere Frage ist, ob seine Schilderung überall zutreffend, und allgemeiner, ob das Werk unsere Einsicht in diese Schöpfungsgeschichte wirklich zu fördern geeignet sei. Auf philosophischer Seite hat man hierüber günstiger geurtheilt als auf juristischer. Der feinsinnige und hervorragende Philosoph Eucken, der wohlbemerkt nicht der utilitaristischen Richtung angehört, meint[1]), daß das große, von Ihering behandelte Problem durch sein Werk in eine neue Phase getreten sei. Neue Gedankenreihen seien gebildet, neue Gruppen von Thatsachen herangezogen, die Fragen neu gestellt und geschärft. Er fordert Anerkennung der Bedeutsamkeit der prinzipiellen Leistung und ist des Lobes voll in Bezug auf die ausführenden Theile.

Vergleichen wir Ihering's Leistung mit anderen utilitaristischen Systemen, so ergiebt sich als ihr Hauptcharakteristikum die centrale Stellung, welche sie, im Einklang mit gewissen Grundtendenzen des modernen wissenschaftlichen Lebens, dem Begriff der Gesellschaft und den socialen Zwecken giebt, und die energische Zurückführung des Rechts und des gesammten Ethos auf diese Zwecke. Mein Urtheil geht dahin, daß einerseits dieser sociale Utilitarismus dem auf Bentham zurückgehenden rein individualistischen Utilitarismus, der das Ethische in seinem Gegensatz zum Egoistischen und speziell die sittlichen Normen als solche nicht zu erklären vermag, weit überlegen sei, und daß andererseits jener centrale Gedanke des socialen

1) Allgemeine Zeitung 1883 Nr. 362 und 63.

Utilitarismus niemals vor dem „Zweck" eine gleich kraftvolle und zugleich auf ein ebenso umfassendes Thatsachenmaterial gestützte Vertretung gefunden habe. Man hat dem Ihering-schen Systeme dasjenige Herbert Spencer's gegenübergestellt und bezw. übergeordnet. Ob dessen „Thatsachen der Ethik" früher erschienen sind als Ihering's Werk, weiß ich nicht. Aber der Hauptgedanke des socialen Utilitarismus tritt bei Spencer nicht in gleicher Schärfe und Klarheit hervor wie bei Ihering. Spencer's System zeigt hier eine gewisse Unbestimmtheit, und damit hängt bei ihm ein Mangel zusammen, welchen man der Ihering'schen Ethik nicht vorwerfen kann, der nämlich, daß der Gegensatz zwischen dem moralischen Verhalten der Einzelnen, ihrer ethischen Selbstbehauptung, um mit Ihering zu sprechen, und ihrem egoistischen Verhalten nicht in seiner vollen Bedeutung gewürdigt wird. Im Uebrigen zeigen die Anschauungen dieser beiden Männer sich vielfach verwandt [1]), und eine eindringendere Vergleichung sowohl ihrer Theorien wie ihrer Methoden würde des Interesses nicht entbehren.

Dieser sociale Utilitarismus ist heute im Bereiche der Wissenschaft eine der mächtigen Gestalten, zu welchen jeder Stellung zu nehmen veranlaßt ist, der hier mehr sein will als Verwalter eines Detailverschleißes. Und seine Macht hat in Ihering eine nicht verächtliche Stütze gewonnen. Daß seine philosophische Schulung eine unvollkommene war, ändert nichts an der Bedeutung der Thatsache, daß ein Mann von solchem Wirklichkeitssinne uns ein begeistertes Bekenntniß zu diesem Systeme als die Summe seiner Erfahrungen und Arbeiten darbietet.

---

1) Man vergl. u. A. die §§ 4—6 und 63 der Spencer'schen „Thatsachen der Ethik". Ein Gegensatz besteht freilich zwischen ihnen bezüglich der Fragen über die Grenzen der staatlichen Wirksamkeit.

Eine allgemeinere Beurtheilung dieser philosophischen Richtung ist im Uebrigen hier nicht am Platze. Wohl aber will ich gewisse Bedenken gegen die besondere Gestaltung des Systems bei Jhering andeuten, damit meine Würdigung seiner Leistungen nicht als eine kritiklose erscheine. Ist es doch nicht mein Zweck, zu loben, sondern zu charakterisiren.

Ein Bedenken betrifft das Verhältniß der Einzelpersönlichkeit zur Gesellschaft im Jhering'schen Systeme. Das menschliche Individuum kommt nach ihm zur Welt und tritt in das geschichtliche Leben ein als reiner Egoist. Als solcher bringt es die rechtlich organisirte Gesellschaft hervor, welche ihrerseits die ethische Persönlichkeit erzeugt. Diese ist die Spätgeborene, welche das Gebäude des Rechts als fertige Wohnung bezieht. Nun kann aber die Welt des Rechts nicht gedacht werden ohne ethische Stützen[1]). Und sie hat sich nirgends aufgebaut ohne die Mitwirkung sittlicher Kräfte. Wir gerathen hier daher in einen Zirkel. Der Historiker Jhering hat diese Verhältnisse richtiger erkannt als der

1) Eine Gesetzesherrschaft ist nicht denkbar ohne eine (im ethischen Sinne) bindende Kraft der Gesetze. Sie setzt also ethische Empfindungen und Anschauungen, ein Gefühl von einem Sein-sollenden voraus. Das Recht kann also nicht die Hebamme des Sittlichen sein, als von welchem seine eigene Existenz abhängt. Ferner: dem Staate geht bei Jhering die vertragsmäßig begründete Societät vorar. Der Vertrag aber bedeutet nichts, wenn er nicht eine verpflichtende (ethisch bindende) Wirkung äußert. Woher stammt ihm diese, wenn die ethischen Faktoren erst auf dem Umwege über das staatliche Recht zur Erscheinung kommen? Jhering vermag übrigens die angefochtene Auffassung nicht konsequent festzuhalten. U. A. sagt er vom Verkehre, derselbe habe die höchsten sittlichen Probleme in einer Weise gelöst, mit der die staatliche Leistung sich nicht messen lasse, und er habe einen Theil seines Tagewerks vollbracht, ehe der Staat sich vom Lager erhob (I, 232). Entweder aber geschah dies mit Hülfe einer schon bestehenden Rechtsordnung, dann war diese vor dem Staate da, was Jhering im „Zweck" für undenkbar erklärt, oder es geschah ohne Hülfe einer solchen Ordnung, dann war das Sittliche früher als das Recht.

Dogmatiker. Man kann seinem „Zweck" in dieser Beziehung wie noch in mehreren anderen seinen „Geist" (I, S. 118 ff., 167 ff., 263, II, S. 61 — 4. Aufl.) entgegenstellen. Sociale Triebe sind nicht erst ein Erzeugniß der Gesellschaft, sondern ihre Voraussetzung, sie sind der Einzelpersönlichkeit nicht wie ein Propfreis in einer sie erziehenden Rechtswelt von außen her angebildet worden, sondern sie haben sich nur, und zwar parallel mit der gesellschaftlichen Organisation selbst, auf Grund der Wechselwirkungen zwischen dem Individuum und seiner Umgebung wie die geistige Persönlichkeit überhaupt entfaltet [1]). Auch findet bei Ihering die Initiative der Einzelpersönlichkeit auf ethischem Gebiete keine Erklärung. Und doch geht die Erhebung über altgewordene ethische Systeme auf sie zurück. Nicht die Gesellschaft mit ihren Organen hat im Beginn unserer Zeitrechnung ein neues Ethos in die Welt gebracht, sondern Christus.

Ein anderes Bedenken betrifft die Stellung des Zweckbegriffes bei Ihering. Er denkt im Allgemeinen an bewußt erfaßte Zwecke, und die socialen Zwecke, auf welche er das Recht zurückführt, sind als sich associirende Zwecke der Einzelnen gedacht. Nun ergiebt es sich häufig, daß die am Anfange einer Entwicklungsreihe wahrnehmbaren Zweckvorstellungen in dem Endergebniß keinen adäquaten, ja vielleicht überhaupt keinen Ausdruck finden. Sie setzen ein Spiel von Kräften in Bewegung, welches unter Hinzutritt immer neuer Faktoren Resultate zu Tage fördert, welche von der Richtung jener ersten Zweckvorstellungen weit abliegen können. Andererseits können durch bestimmte Zweckvorstellungen hervorgerufene Einrichtungen im Laufe der Zeit ihre Bedeutung ändern und in völlig anders gearteten Gedankenverbindungen einen Halt

1) Eingehender habe ich diesen Punkt in meiner cit. Schrift „Vergeltungsidee und Zweckgedanke" erörtert.

finden, als aus welchen sie hervorgegangen sind. Dies Alles ist Jhering natürlich nicht unbekannt, aber die Art, wie der Zweck bei ihm als Erklärungsprinzip fungirt, verdeckt die entwicklungsgeschichtliche Bedeutung dieser Verhältnisse und ist eine Quelle mehrerer Mißverständnisse [1]). Ferner finden vielerlei Einrichtungen ihre Legitimation vor dem Forum der Geschichte — man denke an die Sklaverei — nicht durch die Zwecke derer, welche sie hervorgerufen haben, sondern durch das, was sie für eine aufsteigende Entwicklung des menschlichen Kulturlebens bedeuteten. Hier nun nimmt Jhering einen „objektiven Zweck" zu Hülfe. Dieser objektive Zweck aber läßt eine Reihe von Fragen entstehen, welche einerseits keine eingehendere Beantwortung finden, und andererseits bei ernsthafter Verfolgung zu Modifikationen seines Systemes führen würden [2]). Doch lasse ich dies hier auf sich beruhen und will nur noch auf die fundamentalsten Gegensätze zu Jhering's Zwecktheorie auf philosophischem und auf juristischem Gebiete hinweisen. Dort liegen sie in Theorien, welche die Entwicklung von Recht und Moral mit Leibniz als die „stufenweise Enthüllung und Abklärung dessen betrachten, was von Anfang als ewiges Gesetz in den unbewußten Vorstellungen

---

1) Hierher Gehöriges findet sich bei Wundt, Ethik, S. 98, 103, 131 ꝛc. hervorgehoben.

2) Es würde sich unvermeidlich eine Annäherung an gewisse von Jhering bekämpfte Systeme ergeben. U. A. würde der Begriff der Gesellschaft anders, als es jetzt geschieht (Summe der Einzelnen), zu fassen sein. Denn für eine teleologische Betrachtung, und dieser gehört der „objektive Zweck" an, drängt sich unwiderstehlich der Eindruck auf, daß es der Natur nicht um die Einzelnen, sondern um die Gattung, d. i. um die Gesellschaft in einem ganz anderen Sinne, als in welchem sie mit der Summe ihrer jeweiligen Glieder zusammenfällt, zu thun ist. Der veränderte Gesellschaftsbegriff aber würde eine Annäherung an idealistische Systeme zur Konsequenz haben.

der menschlichen Einzelseelen geschlummert hat", gleichsam als das Auftauchen eines fertigen, in sich harmonischen und an sich gültigen Systems von Begriffen und Maximen im Bewußtsein unserer Gattung. Hier, auf rechtswissenschaftlichem Gebiete, liegen sie in den verschiedenen Formen unserer juristischen Scholastik. Diese beiden, jener philosophische Apriorismus und diese Scholastik, sind innerlich nahe miteinander verwandt und daher von gleichen Grundlagen aus zu bekämpfen. Zwar hat unsere Scholastik, der juristische Logicismus oder die „Begriffsjurisprudenz", ihre eigenen Quellen. Dieselben liegen einerseits in den technischen Aufgaben der Jurisprudenz, wie sie I h e r i n g so vortrefflich geschildert hat, und andererseits in der Neigung der begriffsbildenden Vernunft, ihre Kinder, die Begriffe, zu überschätzen und sie als Wesen von selbständiger Dignität, eigenem Leben und prädestinirter Fruchtbarkeit zu betrachten. Sie ist deshalb eine nicht zu bannende Begleiterscheinung unserer Dogmatik, der Rauch, der ihr Feuer einhüllt und sich darüber erhebt. Wollte man aber für diese Begriffsjurisprudenz nach einer philosophischen Begründung suchen, so würde sie in Theorien der angegebenen Art zu finden sein. Denn sie setzt eine in sich ruhende, a priori gegebene und widerspruchslose Welt von Begriffen voraus, in der die oberste Richtschnur für die Ordnung der realen Welt zu finden sein würde. Nur unter dieser Voraussetzung hat es einen Sinn, in der Weise unserer Logicisten hier den Schutz bestimmter Interessen als begrifflich unmöglich, dort eine Schädigung von solchen als begrifflich nothwendig anzusehen, hier für Unterscheidungen und Abgrenzungen einen Werth aus Begriffen zu deduciren, dort die Begriffe zu suchen, welche zu bestimmten Worten und Namen als die an sich richtigen gehören u. d. m. Jene Philosophie und

diese Scholastik sind wissenschaftlich zu überwinden durch den Beweis, daß das Recht in wesentlichen Theilen und nicht zufällig hier oder dort, sondern immer und überall alogischer Natur ist. Diesen Beweis hat Ihering in seinem Zweck durch die Hervorstellung der realen Faktoren des Rechts in Angriff genommen. Jedoch ist seine Beweisführung einer Ergänzung bedürftig. Die Entscheidung liegt in dem Nachweis der Kompromißnatur des Rechts und der Abhängigkeit der jeweils zum Ausdruck kommenden Kompromisse von veränderlichen Kräften und Machtverhältnissen, welche der Ableitung aus Begriffen spotten und einen adäquaten Ausdruck in einem System von Begriffen nicht zulassen [1]).

Ihering hat sich mehr und mehr in den letztgenannten Gegensatz vertieft. Mit der ganzen Leidenschaftlichkeit seines Wesens bekämpfte er in der letzten Periode seines Lebens den Begriffskultus. In seinem „Scherz und Ernst" übergießt er ihn zugleich mit der Lauge seines Spottes. Irriger Weise nimmt er dabei an, daß es sich um eine Eigenthümlichkeit der romanistischen Litteratur handle, während sie ihre Heimath

1) In dem „Zweck im Recht" kommt diese Kompromißnatur nicht zum Ausdruck. Ihering geht hier im Allgemeinen von einer Harmonie der normalen Interessen der Einzelnen aus, welche in der vorausgesetzten Weise nicht existirt. Die koincidirenden Zwecke der Individuen bilden nach ihm den Gesellschaftszweck, der das Recht hervorbringt. Mit dieser Auffassung würde an sich die Postulirung eines in sich ruhenden, logisch einheitlichen Begriffssystems, welches die Welt der praktischen Interessen restlos und gleichmäßig umfasse, verträglich sein. Im „Kampf ums Recht" finden sich dagegen Gedanken entwickelt, welche auf die Kompromißnatur des Rechts hinweisen. Ausführlich erörtert habe ich dieselbe in meiner Abhandlung „Recht und Macht" in Schmoller's Jahrbuch für Gesetzgebung, Verwaltung und Volkswirtschaft V, S. 1 ff. Ferner in der von v. Holtzendorff herausgegebenen Encyklopädie der Rechtswissenschaft, 5. Aufl. S. 16 ff. Vgl. auch meine Juristische Encyklopädie § 40 u. f.

in allen Gebieten der Rechtswissenschaft hat. Die formalistische Richtung — sie steht ja hier in Frage — blüht ebenso in der Strafrechtswissenschaft und in derjenigen des Staatsrechts wie bei den Romanisten. Ihering hat deshalb Unrecht, sie auf Savigny und Puchta zurückzuführen. Aber diese erscheinen ihm nun als die Musageten, welche die Reigen der juristischen Begriffe aus der Höhe dirigiren. Er ist nicht abgeneigt, sie sammt der Mehrzahl ihrer Jünger und Nachfolger in den juristischen Begriffshimmel, richtiger in die juristische Hölle zu versetzen.

Sehen wir aber von den Uebertreibungen der letztgenannten Schrift ab, so tritt uns in den späteren Arbeiten Ihering's in immer schärferen Umrissen diejenige Gestalt entgegen, in welcher er fortleben wird, die Gestalt des realistischen Denkers, des Denkers, der, den Zwecken des praktischen Lebens zugewendet, diese zu fördern sucht, indem er sie selbst, die Kräfte, die sie ins Spiel setzen und die Lebensformen, die sie hervorbringen, zu verstehen lehrt.

Wenn es gestattet ist, ihn noch einmal dem von ihm zuletzt so heftig angefeindeten Savigny gegenüberzustellen, so möchte ich sagen, daß Savigny's historische Stellung eine glücklichere, centralere war. Seine Arbeiten bilden den Mittelpunkt des neuen Lebens auf romanistischem Gebiete in der ersten Hälfte unseres Jahrhunderts und zwar gilt dies für alle Richtungen desselben, während für Ihering's Arbeiten eine ähnliche centrale Stellung nicht behauptet werden kann. Andererseits hat Ihering ein universelleres Verhältniß zu dem Gesammtproblem der Geisteswissenschaften: der Menschheit zum Bewußtsein ihrer Zustände und der Gesetze ihres eigenen Verhaltens zu verhelfen. Wessen Licht seine Strahlen weiter hinein werfen werde in die kommenden Zeiten, muß in Frage bleiben.

Ich habe den Leser einen langen Weg geführt, hoffe aber den Eindruck erzeugt zu haben, daß das durchschrittene Gebiet nicht todt an Leben ist, daß es vielmehr Quellen geistigen Lebens in sich schließt, welche fortströmen werden, auch nachdem derjenige, der sie dem Gestein entlockt hat, von der Stätte seiner Wirksamkeit verschwunden ist.

Frommannsche Buchdruckerei (H. Pohle) in Jena.

〈編訳著者紹介〉
山口廸彦（やまぐち　みちひこ）
1942年　愛知県岡崎市に生まれる。早大第一法学部，大学院修士課程を経て，早大大学院法学研究科博士課程単位修得。早大副手，名古屋音楽大学講師，助教授を経て，（現在）名古屋経済大学法学部教授。この間，神奈川大，名城大，同朋大，中京大，愛知学院大，名古屋市立大講師，（比国）セブ大学大学院客員教授など。（専攻）憲法学，法理学
〔共著〕
『現代社会の法構造』（芦書房，1984年）
『イギリスの社会と文化Ｉ』（成文堂，1991年）
『イギリスの社会と文化II』（成文堂，1993年）
『日・豪の社会と文化―異文化との共生を求めて』（成文堂,1995年）
"The Japanese Society Today"（豪・Central Queensland Univ. Press, 1995）
"Japan at the Crossroads"（Seibundo, 1998）など

〒446-0021　安城市法連町15－1

大法学者イェーリングの学問と生活

1997年（平成９年）４月10日　第１版第１刷発行
2000年（平成12年）８月30日　訂正新装版第１刷発行

著　者　ルドルフ・フォン・イェーリング
編訳著者　山口廸彦
発行者　今井貴
発行所　信山社出版株式会社
〒113-0033　東京都文京区本郷６－２－９－102
電　話　03（3818）1019
ＦＡＸ　03（3818）0344

Printed in Japan

印刷・製本／亜細亜印刷・大三製本

ISBN4-7972-9321-7 C3332
NDC 321.101
9321-20000720-0219-012-060-040

三　明治・大正を見た人々
5　小泉八雲の法哲学／6　蓬莱の島にて／7　鹿鳴館のあだ花のなかで／8　青年経済学者の明治日本／9　ドイツ哲学者の祇園体験
四　アメリカ知識人と昭和の危機
10　ジョン・ガンサーと軍国日本／11　オーウェン・ラティモアと「魔女狩り」／12　歴史としての太平洋問題調査会

純粋雑学　本体価格 2,900円

主要目次
一　純粋雑学
1　研究と偶然／2　漢文・お経・英語教育／3　五十音拡充論／4　英会話下手の再評価／5　ワードゲームの中のアメリカ／6　ドイツ人の苗字／7　「二〇〇一年宇宙の旅」／8　ウィーンのホームズ／9　しごとの周辺／10　思想としての別役劇／11　外国研究覚え書き
二　駒場の四十年
　A　駆け出しのころ
12　仰ぎ見た先生方／13　最後の貴族主義者／14　学問と政治―ストライキ問題雑感／15　「居直り」について／16　ある学生課長の生涯
　B　教師生活雑感
17　試験地獄／18　大学私見／19　留学生を迎える／20　真夏に師走　寄付集め／21　聴かせる権利の法哲学／22　学内行政の法哲学
　C　相関社会科学の周辺
23　学僧たち/24　相撲取りと大学教授/25　世紀末の社会科学／26　相関社会科学に関する九項/27　「相関社会科学」創刊にあたって/28　相関社会科学の現状と展望／29　相関社会科学の試み／30　経済学について／31　ドイツ産業の体質/32　教養学科の四十年・あとがき/33　教養学科案内
　D　駒場図書館とともに
34　教養学部図書館の歴史・現状・展望／35　図書館の「すごさ」／36　読書と図書館／37　教養学部図書館の四十年／38　「二十一世紀の図書館」見学記／39　一高・駒場・図書館／40　新山春子さんを送る
三　私事あれこれ
41　北一輝の誤謬／42　父の「在満最後の日記」／43　晩年の孔子／44　迷子になった話／45　私が孤児であったなら／46　ヤルタとポツダムと私／47　私の学生時代／48　受験時代／49　「星離去」考／50　私の哲学入門／51　最高齢の合格者／52　飼犬リキ／53　運命との和解／54　私の死生観

されど、アメリカ　本体価格 2,700円

主要目次
一　アメリカ滞在記
1　アメリカの法廷体験記／2　アメリカ東と西／3　エマソンのことなど／4　ユダヤ人と黒人と現代アメリカ／5　日記――滞米2週間
二　アメリカと極東
1　ある感傷の終り／2　ある復讐の物語／3　アメリカ思想と湾岸戦争／4　「アメリカの世紀」は幕切れ近く

陳 晋 著

『中国乗用車企業の成長戦略』

500488

栞第１刷
2000・6①

信 山 社
東京都文京区
本郷6-2-9-102

中国企業研究に経営戦略論を適用する新たな試み

藤本隆宏
（東京大学教授）

二一世紀を迎える自動車産業では世界規模での競争激化と合縦連衡が顕著であるが、そうした中で、巨大な潜在成長力を持つ新興市場として注目されてきたのが中国市場である。既に商用車を中心に、一九九〇年代末には国内生産・販売共に一五〇万台程度の規模に成長している。基本的には完成車輸入が制限され、保護された市場であるが、そこに一〇〇社以上の国内メーカー（多くは小規模の地場企業）がひしめいており、その再編・集約化は必至と言われる。

そうした中で、とりわけ成長が期待されているのが乗用車セグメントである。この部門には、国内組立企業数を制限する国家政策があり、実際、この政策で認められた八社が何らかの形で外資と提携しながら乗用車を国内生産している。これら各企業は、計画経済から市場経済へと移行する中で、それぞれ成長戦略を立て、多様な競争行動を見せている。

しかしながら、改革開放期の成長産業である乗用車に対する従来の研究は、多くの場合、政策レベルあるいは産業レベルを総括的に論じたものが多かった。経済体制論・経済政策論的な視点からのアプローチが多く、中国の経済体制の特殊性は考慮されていたものの、個別企業間の主体的な競争行動や成長戦略の違いを、一貫した枠組みに従って体系的に

比較分析した実証研究は少なかったのである。

陳晋君による、中国乗用車企業の成長戦略に関する今回の著書は、経営戦略論の立場からこのギャップを埋める試みとして、意義深い研究と思われる。同君の東京大学大学院経済学研究科博士論文をベースとする本書では、計画経済から市場経済へと転換しつつある八〇〜九〇年代の中国において代表的な成長産業であった乗用車を研究対象に選び、「ほぼ同様の環境変化の中にある中国乗用車メーカーの間で、九〇年代半ばの時点で、成長スピードや戦略的経路が異なっていたのはなぜか」という問題設定を行っている。

これに対して、著者は、経営戦略論の枠組を応用し、特に経営戦略・経営資源・環境の動態的な相互作用と変化を重視するダイナミックな戦略形成論の立場からこの問題に取り込んだ。本書は経営戦略論の立場から、九〇年代における中国の乗用車製造企業、具体的には八大メーカー（いわゆる「三大三小二微」企業）である上海自工、天津自工、第一自動車、北京自工、広州自工、東風自動車、長安自動車、貴州航空の競争行動と成長戦略の比較を行い、その間の成長性や成長経路の相違を生み出した要因（環境、経営資源、組織能力など）を体系的に分析している。

実証分析として見た場合も、少なくとも日本語の文献としては新たな資料の発掘があり、その点でも学界への貢献が認められる。類似したテーマの先行研究に、李春利・愛知大学助教授による東京大学大学院経済学研究科博士課程論文（『現代中国の自動車産業』信山社、一九九七年）があるが、この場合は、商用車部門における国営大企業同士の動態的競争が主たるテーマであり、対象や時期の違いもあって、研究アプローチとしては制度論・産業論的な色彩も色濃く残っている。戦略論的な枠組をストレートに適用してみせた陳晋論文の独自性は、その点でも充分に認められよう。

個別企業のケース分析としては、中国乗用車生産の上位四社である上海自工、天津自工、第一自動車、長安自動車等々の資料を手堅く収集しており、その

比較分析から、いくつかの興味深い結論を導き出している。とりわけ、これから日本のトップメーカーのトヨタと手を組んでいく天津自工の資料がオリジナリティが高いと認められる。例えば、同社における、生産量重視・品質軽視の風土の背景説明は、実例が豊富で分かりやすい。拙速でやや安易な国産化戦略が品質問題を起こす過程の説明は明晰である。全体に、戦略形成の経路を動態的に分析しているところに、本書の良さがある。

以上のように、本書は、経営戦略論の枠組で中国乗用車企業の成長戦略を分析するという、これまでやや手薄だった領域を埋める精力的な研究と位置付けることが出来よう。実務的にも、今後日本自動車企業の対中国戦略、及び日本企業の対中投資戦略全般にとって参考になると考える。本書を中国企業体制の改革、中国乗自動車産業の現状と展望、競争戦略論の国際経営への応用、等々に関心を持つ学界、実業界の方々および学生諸君にぜひとも推薦申し上げたい。

［著者略歴］　陳　晋（CHEN Jin）

一九五二年　中国天津市に生まれ

一九八四年　中国天津商科大学企業管理学部卒業

天津商科大学企業管理学部専任講師を経て

一九九三年　天津商科大学企業管理学部助教授

一九九三年　米国ペンシルベニア大学ウォートン・スクール（Wharton School）にて訪問研究

一九九四年　米国マサチューセッツ工科大学（MIT）国際自動車プログラム（IMVP）客員研究員

一九九九年　東京大学大学院経済学研究科企業・市場専攻博士課程修了、経済学博士学位取得

現　在　東京大学社会科学研究所客員研究員

〈主要論文〉

「中国自動車産業における企業戦略行動に関する研究」（『国際ビジネス研究学会年報一九九七』、一九九七年）

「中国自動車産業における大企業と中小企業の成長戦略比較」（『国際ビジネス研究学会年報一九九八』、一九九八年）

「中国軍需産業における企業の自動車生産への進出と拡張戦略」（『アジア経営研究』第五号、一九九九年）

「中国自動車産業における企業の成長戦略の策定と実行に関する研究」（東京大学大学院経済学研究科博士学位論文、一九九九年）

"Different Behaviors of Chinese Auto Maker In Technology Introduction and Assimilation" *The Dragon Millenium: Chinese Business in the Coming World Economy*, edited by Frank-Jürgen Richter, published by the Greenwood Publishing Group, 2000.